Propagande, médias et démocratie

NOAM CHOMSKY,
ROBERT W. McCHESNEY

Propagande, médias et démocratie

préface de Colette Beauchamp

Traduit de l'américain par
Liria Arcal

LES ÉDITIONS
écosociété
MONTRÉAL

Révision: Nicole Daignault, Colette Beauchamp
Lecture d'épreuves: Zarmine Torrossian
Typographie: Pierre Wyrsch
Illustration de la couverture: Francine Saint-Aubin
Responsable de la production: Serge Mongeau

Titres originaux: Noam Chomsky: *Media Control: The Spectacular Achievements of Propaganda*, The Open Media Pamphlet Series, Seven Stories Press, New York, 1997, copyright: 1991, 1997: Noam Chomsky;
Robert W. McChesney, *Corporate Media and the Threat to Democracy*, The Open Media Pamphlet Series, Seven Stories Press, New York, 1997, copyright: 1997, Robert W. McChesney

Dépôt légal:
1er trimestre 2000

ISBN: 2-921561-49-2

Données de catalogage avant publication (Canada)
Vedette principale au titre:

Propagande, médias et démocratie

Traduction de: Media control / Noam Chomsky; et de: Corporate media and the threat to democracy / Robert W. McChesney.

ISBN 2-921561-49-2

1. Communication internationale. 2. Médias - Aspect politique. 3. Médias - Aspect économique. 4. Démocratie. 5. Propagande - États-Unis. 6. Médias et opinion publique. I. Chomsky, Noam. Exploits de la propagande. II. McChesney, Robert Waterman, 1952– . Géants des médias.
P96.I5P76 2000   302.2   C00-940140-7

Nous remercions le Conseil des Arts du Canada de l'aide accordée à notre programme de publication.
Nous reconnaissons l'aide financière du gouvernement du Canada par l'entremise du Programme d'aide au développement de l'industrie de l'édition (PADIE) pour nos activités d'édition.
Nous remercions enfin la SODEC pour son soutien financier.

Table des matières

PRÉFACE

*NOUS POURRIONS nous croire à l'âge d'or de l'infor-
mation. Quelle que soit l'heure du jour ou de la nuit,
un clic ouvre le téléviseur et nous sommes transportés
au Kosovo, en Turquie ou en Tchétchénie. Nous vi-
brons de compassion ou d'horreur devant les événements que vivent des hommes, des femmes et des enfants dont le plus souvent nous ne savons rien et qui
habitent à des milliers de kilomètres de nous. Quelle
époque extraordinaire! Nous ne sommes plus confinés
à quelques canaux locaux, nous savons ce qui se passe
dans le monde et nous vivons l'Histoire en direct!*

*Est-ce illusion ou réalité? Il nous arrive, comme
au moment de la guerre du Golfe, de nous rendre
compte que les reportages télévisés déforment, obscur-
cissent et trafiquent la réalité... tant l'évidence est
grosse. Non seulement l'armée américaine contrôlait
toute l'information transmise aux médias occidentaux,
mais elle en faisait état publiquement avec autorité*

et arrogance au nom de la Sécurité... et nous avons vu les médias enfiler docilement ce carcan. Que se passe-t-il pour d'autres événements, qu'ils aient lieu chez nous ou ailleurs ? Qui contrôle réellement l'information ? Qui choisit de nous montrer telle situation au lieu de telle autre ? De telle ou telle façon ? Pouvons-nous parler d'une véritable liberté de presse et d'une réelle liberté journalistique ?

Dans cet ouvrage, le célèbre analyste des médias Noam Chomsky et le professeur de communications à l'université de l'Illinois Robert W. McChesney démontent pour nous la mécanique de production de l'information aux États-Unis, qui se répercute à l'échelle mondiale. Le choc est violent mais salutaire, car tous deux nous amènent à nous demander dans quelle sorte de société nous souhaitons vivre et quelle sont nos responsabilités individuelles et collectives à ce sujet.

Dans Les Exploits de la propagande, *Chomsky remonte le cours du siècle pour nous expliquer à grands traits limpides le fonctionnement du système de propagande instauré au États-Unis au moment de la Première Guerre mondiale par l'élite du monde politique et du milieu des affaires ; avec un mépris total pour la population, cette élite ne recule ni devant le mensonge ni devant la falsification de la réalité pour fabriquer l'opinion publique. Il montre aussi le rôle de la gigantesque industrie des relations publiques née à la même époque et le soutien que les médias et les personnalités parmi les plus influentes du monde journalistique apportent à ce système de propagande. « La propagande,*

écrit-il, est à la société démocratique ce qu'est la matraque à l'État totalitaire. »

Dans Les Géants des médias, une menace pour
la démocratie, McChesney établit on ne peut plus
clairement que le contrôle des moyens de communication fait partie intégrante du pouvoir politique et
économique. À la suite d'une vague d'acquisitions et
de fusions, une poignée de consortiums géants possèdent
désormais l'ensemble des moyens de communication
américains, c'est-à-dire qu'ils contrôlent non seulement
la majorité des médias de masse écrits ou électroniques,
mais également le cinéma, la vidéo, la production de
disques et jusqu'à l'édition de livres. Les magnats des
médias ont une influence démesurée sur le contenu de
l'information et sur l'ensemble de la culture, une influence qui suit évidemment leurs intérêts et leur idéologie et qui s'étend à l'échelle mondiale ; leurs positions
sur les problèmes fondamentaux de notre époque est
celle du parti pris du profit et de la mondialisation
du marché. McChesney a aussi le mérite de défaire les
puissants mythes qui nous brouillent la vue. Il nous
montre entre autres que, dans ce contexte, la liberté
de presse et la liberté journalistique sont des réalités
évanescentes et que l'espace public et démocratique
qu'aurait pu offrir le développement des réseaux d'ordinateurs numériques, dont Internet, n'échappera pas à
la soif commerciale de ces conglomérats gigantesques.

La tentation est forte de nous imaginer, au Québec
et au Canada, à l'abri d'un tel système d'imposture
antidémocratique. Ne nous leurrons pas. À une échelle

réduite, la même chose est en train de se passer chez nous. Depuis 15 ans, la concentration de la propriété des moyens de communication, qu'il s'agisse des médias écrits, de la radio, de la télévision ou de la câblodistribution s'étend à travers le Canada dans l'indifférence générale, puisqu'elle est presque invisible, car elle se fait avec la complicité du Conseil de la radio-diffusion et des télécommunications canadiennes, le CRTC, l'organisme chargé de réglementer ce secteur d'activités, qui a gentiment suivi le mouvement de déréglementation à la mode à travers le monde.

Comme aux États-Unis, une série d'acquisitions et de fusions a abouti au contrôle des chaînes de médias par quelques propriétaires. (Une chaîne de médias peut comprendre des médias de différentes natures : journaux, magazines, postes de radios, stations de télévision, câblodistribution.) Cette concentration aboutit à des monopoles extrêmement néfastes. Un seul exemple : depuis la fusion des réseaux Télémédia (CKAC) et Radiomutuel (CJMS), il n'existe plus sur l'ensemble du territoire québécois qu'un seul réseau de radio privée dont la station de tête est CKAC; n'ayant plus de concurrence, CKAC en a profité pour démanteler sa salle de nouvelles et la réduire à sa plus simple expression. Bien que les conglomérats canadiens soient plus petits que les conglomérats américains, ils détiennent eux aussi des intérêts financiers dans toutes sortes d'autres secteurs que celui des communications — pétrole, mines, bois, institutions financières, trans-

ports, sociétés de distribution, maisons de disques, maisons d'édition, etc.

Nous restent au moins, direz-vous, un secteur public de radiodiffusion pancanadien, la Société Radio-Canada, et des télévisions publiques éducatives, comme Télé-Québec et TV Ontario. Mais pour combien de temps? Amputation après amputation, ni le réseau français de Radio-Canada ni Télé-Québec ne disposent des budgets nécessaires pour couvrir convenablement l'ensemble du territoire québécois et prétendre rendre un service public adéquat et de qualité; ils nous proposent de plus en plus de productions privées dont ils ne contrôlent ni le contenu ni la réalisation et qui sont faites au plus bas coût en termes d'effectifs et de temps de fabrication.

Le cas de la Société Radio-Canada est patent. Les attaques du puissant et riche lobby *des propriétaires de câblodistribution, de radio, de télévision et de télécommunications contre l'existence d'un service public de radiodiffusion comme celui de Radio-Canada ne sont pas nouvelles, mais elles se font de plus en plus virulentes et le gouvernement canadien leur prête une oreille infiniment plus attentive qu'aux revendications des groupes de consommateurs, des groupes populaires, des groupes communautaires et des syndicats qui n'ont d'ailleurs pas les mêmes moyens financiers pour se faire entendre. Si, comme il l'a fait régulièrement depuis plusieurs années, le gouvernement canadien continue d'affamer Radio-Canada, en sabrant dans son budget et en y plaçant ses hommes de main pour administrer* à l'institution ce remède de cheval, nous n'aurons même plus à faire de débat public pour savoir si, comme société, nous voulons un système public de radiodiffusion. Il disparaîtra de lui-même.

Dans le présent ouvrage, Chomsky et McChesney nous ramènent en conclusion à notre responsabilité dans la lutte en faveur de médias démocratiques. L'enjeu est bien plus important que la seule désinformation nous dit Chomsky : il s'agit de savoir si nous voulons vivre dans une société libre. La lutte contre les titans des médias ne se gagnera pas facilement avoue McChesney ; mais il esquisse avec optimisme les moyens de s'y engager et donne des exemples de ce qui se fait aux États-Unis.

Qu'on soit jeune ou plus âgé, Propagande, médias et démocratie est un livre accessible qu'il faut absolument lire, car, comme le dit Chomsky, « la solution de ce problème repose principalement entre les mains de gens comme vous et moi » et, ajouterais-je, quel que soit notre âge.

Colette Beauchamp

PREMIÈRE PARTIE

Noam Chomsky

Les exploits de la propagande

Introduction

LE RÔLE DES MÉDIAS dans la politique contemporaine nous oblige à nous interroger sur le monde
et sur la société dans lesquels nous voulons vivre,
en particulier, sur le genre de démocratie que nous
souhaitons avoir. Je propose donc, pour commencer, de mettre en parallèle deux conceptions dis-
tinctes de la démocratie. La première veut que
l'ensemble des citoyens dispose des moyens de participer efficacement à la gestion des affaires qui le
concernent et que les moyens d'information soient
accessibles et indépendants. Elle correspond, en
somme, à la définition de la démocratie que l'on
trouve dans un dictionnaire.

Selon la seconde conception, le peuple doit être
exclu de la gestion des affaires qui le concernent et
les moyens d'information doivent être étroitement
et rigoureusement contrôlés. Bien que cette conception puisse sembler bizarre, il est important de

comprendre que c'est celle qui prédomine. En fait, c'est le cas depuis longtemps sur le plan pratique aussi bien que théorique. La longue Histoire qui remonte aux premières révolutions démocratiques modernes dans l'Angleterre du XVIIᵉ siècle témoigne largement de ce fait. Je m'en tiendrai à l'époque contemporaine et à la description de la manière dont cette seconde conception de la démocratie évolue, en expliquant comment et pourquoi la question des médias et de la désinformation s'inscrit dans ce contexte.

CHAPITRE PREMIER

Les débuts de la propagande dans l'Histoire contemporaine

CONSIDÉRONS la première opération de propagande organisée par un gouvernement contemporain. Elle s'est déroulée sous le mandat de Woodrow Wilson, élu président des États-Unis en 1916 au terme d'une campagne électorale sur le thème : « la paix sans la victoire ». C'était au beau milieu de la Première Guerre mondiale. La population était extrêmement pacifiste et ne voyait aucune raison de s'engager dans une guerre européenne. En revanche, le gouvernement Wilson, déjà décidé à entrer en guerre, a dû intervenir dans ce sens. Il a créé une commission gouvernementale de propagande, la Commission Creel, qui est parvenue en six mois à transformer un peuple pacifiste en une population hystérique et belliciste qui voulait détruire tout ce qui était allemand, mettre en pièces les Allemands, entrer en guerre et sauver le monde. Cette grande réussite a ouvert la porte à un autre exploit. Pendant la même période et après la guerre, on a utilisé les mêmes techniques de propagande afin de créer une véritable psychose du «péril rouge[1]», comme on l'appelait, qui a presque réussi à détruire les syndicats et qui a failli balayer une fois pour toutes les dangereux problèmes que peuvent faire naître la liberté de la presse et la liberté d'expression politique. Les médias et le milieu des affaires, dont l'appui au gouvernement fut considérable, ont organisé et patronné cette campagne. Dans l'ensemble, elle a connu un vif succès.

Les intellectuels progressistes, disciples de John Dewey[2], faisaient partie de ceux qui ont participé avec ferveur et enthousiasme à l'effort de guerre de Wilson. Comme en témoignent leurs écrits de l'époque, ils étaient très fiers de compter au nombre des «membres les plus intelligents de la société», c'est-à-dire de ceux qui s'étaient montrés capables de convaincre une population réticente d'épouser le parti de la guerre en l'épouvantant et en lui inspirant un chauvinisme extrême. On n'a pas lésiné sur les moyens. C'est ainsi, par exemple, qu'on a trouvé bon d'attribuer aux «boches» des atrocités fictives, comme le fait qu'ils auraient arraché les

---

1. Le péril rouge : désigne le communisme par analogie au «péril jaune» qui désignait les Asiatiques en général et les Chinois plus particulièrement. (NDT)

2. John Dewey (1859–1952), philosophe et pédagogue américain influent, promoteur d'une pédagogie fondée sur le pragmatisme. (NDT)

bras des bébés belges ; toutes sortes d'actes horribles que mentionnent encore les manuels d'Histoire. C'est le ministre britannique chargé de la propagande qui a inventé une grande partie de ce que l'on racontait à ce sujet à cette époque. Ainsi qu'il l'a exprimé au cours de délibérations secrètes, il avait fait le vœu de « manipuler la pensée de la plus grande partie du monde ». Mais le plus important pour le Ministre était de contrôler l'opinion des « membres les plus intelligents de la société » américaine, qui répandraient à leur tour la propagande qu'il avait concoctée et feraient basculer les États-Unis pacifistes dans une véritable frénésie guerrière. Cela a très bien fonctionné et on n'a pas manqué d'en tirer la leçon : lorsqu'elle est appuyée par les classes cultivées et qu'aucune dissidence n'est permise, la propagande de l'État peut avoir des effets considérables. Cet enseignement, Hitler ainsi que beaucoup d'autres jusqu'à ce jour ont su le mettre à profit.

CHAPITRE II

Une démocratie pour spectateurs

CES RÉUSSITES ont également impressionné les théoriciens de la démocratie libérale et les personnalités les plus influentes du monde des médias, comme Walter Lippmann[1] par exemple, à l'époque figure de proue des journalistes américains, à la fois éminent analyste de la politique intérieure et extérieure du pays et, comme en témoignent ses essais, grand théoricien de la démocratie libérale. Si vous jetez un coup d'œil à une compilation de ses textes, vous verrez qu'elle porte comme sous-titre quelque chose comme « une théorie progressiste de la pensée démocratique libérale ». Lippmann, qui avait pris part aux commissions de propagande, en avait reconnu l'impact. Ce qu'il appelait « une révolution

---

1. Pour plus de détails, *voir* Noam Chomsky, *L'An 501, la conquête continue,* Écosociété, Montréal, 1995, premier chapitre. (NDT)

dans l'art d'exercer la démocratie» devait pouvoir, disait-il, être utilisé pour «fabriquer le consentement», c'est-à-dire pour obtenir l'adhésion de la population à des mesures dont elle ne veut pas, grâce à l'application des nouvelles techniques de propagande. Lippmann pensait que c'était là une bonne idée et même une idée nécessaire, car, selon lui, «le bien commun est une notion qui échappe complètement à l'opinion publique». Il ne peut être compris et géré que par une «classe spécialisée» d'«hommes responsables», dotés des capacités requises pour donner un sens aux choses. Selon cette théorie, seule une petite élite, le groupe d'intellectuels auquel se référaient les partisans de Dewey, peut comprendre en quoi consiste le bien commun et savoir ce qui est important pour la collectivité, puisque ces notions «échappent complètement à l'opinion publique». Ce point de vue, dont l'origine remonte à des centaines d'années, est également caractéristique de la pensée de Lénine. En fait, il est très proche de la conception léniniste selon laquelle une avant-garde d'intellectuels révolutionnaires s'empare du pouvoir de l'État en tirant parti des révolutions populaires pour y accéder et conduire ensuite les masses stupides vers un avenir qu'en raison de leur bêtise et de leur incompétence, elles sont incapables de concevoir elles-mêmes. Les prémisses idéologiques qu'ils partagent confèrent à la théorie de la démocratie libérale et au marxisme-léninisme une étroite parenté. Cela explique, me semble-t-il, la facilité avec laquelle des gens ont pu passer d'un régime à l'autre sans percevoir de changement particulier. Il suffit simplement de définir le lieu du pouvoir : peut-être y aura-t-il un jour une révolution populaire et cela nous donnera le pouvoir de l'État ; peut-être n'y en aura-t-il pas et, dans ce cas, il faut simplement se mettre au service de ceux qui disposent du pouvoir réel, c'est-à-dire la communauté des affaires. Mais l'objectif est le même : conduire les masses stupides vers un monde que leur incapacité de comprendre les empêche de concevoir.

Lippmann a appuyé sa position sur une théorie très détaillée de la démocratie progressiste. Il a expliqué qu'on trouve diverses catégories de citoyens dans une société démocratique qui fonctionne bien. Au premier plan se trouvent ceux qui doivent participer activement à la gestion des affaires d'intérêt général. Ils appartiennent à la classe des spécialistes, ceux qui analysent, administrent, décident et dirigent sur les plans politique, économique et idéologique. Cette classe représente un très faible pourcentage de la population. De toute évidence, les promoteurs de ces idées font toujours partie de cette élite et parlent de ce qu'il faut faire de *ces autres* qui en sont exclus, c'est-à-dire, de tous ceux qui forment l'immense majorité de la population et que Lippmann nommait le « troupeau dérouté ». La tâche consiste à se protéger contre « les piétinements et les rugissements du troupeau dérouté». Désormais, il y a deux «fonctions» en démocratie: d'abord celle des spécialistes, ces hommes qui dirigent le pays, c'est à dire à qui revient le rôle de penser et de planifier, ceux qui comprennent ce qu'est le bien commun; ensuite, la fonction dévolue à ceux qui font partie du troupeau dérouté. Leur rôle en démocratie, explique Lippmann, c'est d'être des «spectateurs» et non des participants actifs. Toutefois, puisque nous sommes en démocratie, leur rôle ne s'arrête pas là. De temps en temps, on leur permet de donner leur appui à tel ou tel membre de la classe des spécialistes. En d'autres termes, on leur accorde la possibilité de dire «c'est *celui-ci* que nous voulons pour chef» ou bien «c'est *celui-là*». C'est que nous sommes une société démocratique plutôt qu'un État totalitaire. C'est ce que l'on appelle des élections. Mais, dès qu'ils ont donné leur appui à l'un ou l'autre des spécialistes, on attend des membres du troupeau qu'ils se retirent et deviennent les spectateurs de l'action sans y prendre part. Ce sont là les règles d'une société démocratique qui fonctionne bien.

Il y a une logique dans tout cela et même une sorte de principe moral contraignant. Ce principe, c'est que la majorité de la population est tout simplement trop stupide pour comprendre les choses. Si elle essayait de participer à la gestion de ses propres affaires, elle ne réussirait qu'à susciter des problèmes. Par conséquent, il serait immoral et inconvenant de la laisser faire. Notre devoir nous impose de dompter le troupeau dérouté, de ne pas lui laisser l'occasion d'exercer sa violence, de tout piétiner et détruire. Cette logique est la même que celle qui veut qu'on ne permette pas à un enfant de trois ans de traverser la rue. On ne lui laisse pas ce genre de liberté parce qu'il ne saurait en user convenablement. De la même façon, on n'autorise pas le troupeau dérouté à prendre part à l'action, car il ne pourrait que créer des problèmes.

Il est donc nécessaire d'avoir recours à un moyen quelconque pour dompter le troupeau et ce moyen n'est rien d'autre que la fabrication du consentement, cette révolution dans l'art d'exercer la démocratie. Les médias, l'enseignement et la culture doivent être séparés : on a un système pour l'élite et un autre pour la populace. Ces trois éléments doivent fournir à la classe politique et aux décideurs une vision convenable de la réalité, mais ils doivent aussi leur inculquer les dogmes appropriés. N'oublions pas qu'il y a ici une prémisse implicite dont les responsables doivent se cacher à eux-mêmes l'existence. Cette prémisse concerne les moyens par lesquels ils parviennent aux postes de décision. Naturellement, ils n'y parviennent qu'en se mettant au service des gens qui disposent du pouvoir *réel,* c'est-à-dire de ceux qui *possèdent* la société, un groupe très restreint de personnes. C'est dans la mesure où les spécialistes se montrent capables et désireux de servir les intérêts de ce groupe qu'ils accèdent aux postes de commande. Tout cela doit se faire discrètement, ce qui signifie que les spécialistes doivent avoir assimilé les dogmes et les doctrines qu'on leur inculque et qui servent les intérêts des puissants. Ceux qui n'y parviennent pas ne feront pas partie de cette classe. Ainsi, nous avons un système d'instruction spécifiquement conçu pour ceux qui seront responsables, qui feront partie de la classe des spécialistes. Leur endoctrinement au service des valeurs et des intérêts du pouvoir privé, et du tandem État-monde des affaires qui le représente, doit être profond. Ceux qui réussissent à se soumettre à cet endoctrinement peuvent alors appartenir à la classe des spécialistes. Il ne reste plus qu'à distraire le troupeau dérouté, à détourner son attention, à le protéger contre sa prédisposition à créer des problèmes, à s'assurer qu'il demeure tout au plus spectateur de l'action en veillant néanmoins à l'autoriser de temps en temps à appuyer l'un ou l'autre des vrais dirigeants, parmi lesquels il lui est alors possible de choisir.

Nombreux sont ceux qui ont développé ce point de vue fort conventionnel, en fait. Par exemple, Reinhold Niebuhr, chef de file des théologiens et critique de politique étrangère, quelquefois baptisé «le théologien des pouvoirs établis», le gourou de George Kennan[4] et des intellectuels de l'adminis-

---

2. George Kennan, chargé de diriger les planificateurs de la politique mondiale au secrétariat d'État américain en 1948–1949. (NDT)

tration Kennedy, soutenait que la faculté de raisonner est très peu répandue, que seul, un nombre
restreint de personnes la possède. La plupart des
gens se laissent dominer par leurs émotions et leurs
impulsions. Ceux d'entre nous, expliquait-il, qui
possèdent la faculté de raisonner doivent créer des
« illusions nécessaires » et des « simplifications abu-
sives, mais émotionnellement convaincantes » pour
maintenir plus ou moins dans la bonne direction
les simples d'esprit naïfs. Cette idée est devenue
l'un des principaux thèmes des sciences politiques
contemporaines. Durant les années 1920 et au début des années 1930, Harold Lasswell, le fondateur
du secteur moderne des communications et l'un
des chefs de file américains des sciences politiques,
expliquait qu'il n'était pas souhaitable de succomber
« au dogme démocratique selon lequel les gens sont
les meilleurs juges quand il s'agit de leurs propres
intérêts », car ils ne le sont pas. Nous sommes les
meilleurs juges en matière de bien commun, estimait-
il. Par conséquent, par simple souci de morale, il
est indispensable de faire en sorte que les gens
n'aient aucune possibilité d'agir en fonction de leur
appréhension fausse des choses. Dans ce qu'on qua-
lifie de nos jours d'État totalitaire ou d'État policier,
c'est une tâche facile. Il suffit de brandir une matraque au-dessus de leurs têtes et de leur en asséner
un bon coup s'ils s'écartent du droit chemin. Cependant, à mesure qu'une société devient plus libre
et se démocratise, on est forcé d'abandonner cette

option. Il faut donc recourir aux techniques de propagande. La logique est très simple. La propagande est à la société démocratique ce que la matraque est à l'État totalitaire. Encore une fois, dirons-nous, il est bon d'agir ainsi et c'est faire preuve de sagesse, car le bien commun échappe complètement au troupeau dérouté. Il est incapable de le comprendre.

CHAPITRE III

Les relations publiques

LES ÉTATS-UNIS ont été les pionniers de l'industrie des relations publiques, dont la mission est de « contrôler l'opinion publique », comme l'ont expliqué ses promoteurs qui ont su tirer d'importantes leçons des succès de la Commission Creel et de la remarquable carrière du mythe du péril rouge. L'industrie des relations publiques a connu une expansion considérable à cette époque. Tout au long des années 1920, elle est parvenue à obtenir de la population une soumission presque totale aux règles imposées par le milieu des affaires. Le phénomène a pris une telle ampleur qu'au début des années 1930, des comités du Congrès ont enquêté sur cette industrie. Nombre d'informations dont nous disposons proviennent de ces investigations.

Les relations publiques sont une industrie gigantesque qui dépense environ un milliard de dollars chaque année. Son but a toujours été de *contrôler l'opinion publique.* Au cours des années 1930, d'importants problèmes ont fait surface, comparables à ceux qui étaient survenus pendant la Première Guerre mondiale. Une grave récession s'est installée et les travailleurs se sont énergiquement organisés. En fait, en 1935, les travailleurs ont remporté leur première victoire de taille, en l'occurrence, la reconnaissance de leur droit de s'organiser, entériné par la Loi Wagner [1], ce qui a donné naissance à deux problèmes graves. D'une part, le système démocratique s'avérait défaillant. Le troupeau dérouté était parvenu à remporter une victoire législative, ce qui n'est pas censé se produire. D'autre part, il devenait possible pour les gens de s'organiser. Ce qu'on attendait d'eux, c'était qu'ils restent atomisés, séparés les uns des autres, isolés. Les gens ne sont pas censés s'organiser, car ils pourraient alors devenir plus que

---

1. En 1935 fut adoptée la Loi fédérale sur les relations de travail, connue sous le nom de Loi Wagner, du nom de son auteur. Entre autres choses, cette loi consacrait la liberté d'association des travailleurs, définissait le comportement antisyndical comme une « pratique de travail déloyale » et l'interdisait. La combativité des travailleurs pour imposer leurs organisations syndicales dans les usines au moyen de campagnes de syndicalisation et de grèves sur le tas, malgré les risques encourus (fermeture d'usines principalement), fut évidemment un facteur décisif dans l'adoption de cette loi, ce qui était une importante victoire pour les travailleurs. La Cour suprême des États-Unis a confirmé la constitutionnalité de la Loi en 1937. (NDT)

de simples spectateurs. Ils pourraient aller jusqu'à prendre part à l'action s'ils étaient nombreux à pouvoir s'organiser en vue d'entrer dans l'arène politique avec de modestes moyens, et cela est très dangereux. Le patronat adopta des mesures draconiennes pour s'assurer que cette victoire des travailleurs serait la dernière et qu'elle serait le commencement de la fin de cette déviation démocratique que constitue l'organisation populaire. L'objectif fut atteint. Les travailleurs n'ont jamais remporté d'autre victoire législative. La capacité d'agir des syndicats s'est continuellement amenuisée à compter de ce moment — même si le nombre de syndiqués a augmenté durant la Seconde Guerre mondiale, il devait rapidement décroître après. Ce ne fut pas par hasard. Il faut y voir bien sûr l'œuvre de la communauté des affaires qui investit des sommes considérables et toute la vigilance nécessaire pour s'occuper de ces problèmes grâce à l'industrie des relations publiques et aux services d'autres organisations telles que, notamment, la *National Association of Manufacturers* (Association nationale des manufacturiers) et la *Business Roundtable* (Table ronde des gens d'affaires). La communauté des affaires a très vite cherché le moyen de couper court à ces déviations démocratiques.

　　La première occasion s'est présentée en 1937, année d'une grève d'une importance capitale, la grève des aciéries de Johnstown, dans l'Ouest de la

Pennsylvanie. Le patronat a mis à l'essai une nouvelle technique pour détruire les mouvements ouvriers qui s'est avérée très efficace. Il n'a pas fait appel aux escadrons de gangsters ni à la violence, car ce genre d'intervention ne donnait plus de bons résultats, mais il a tiré parti de l'outil bien plus subtil et efficace de la propagande. Le procédé consistait à monter la population contre les grévistes en les présentant comme des agitateurs dangereux pour la population, opposés au bien commun, le bien qui est commun à l'homme d'affaires, au travailleur, à la femme au foyer, à nous tous qui voulons vivre et travailler ensemble, qui aspirons à l'harmonie et aux bienfaits de l'américanisme. C'est contre «nous tous» que se dressent ces grévistes qui ne sont que des agitateurs, des fauteurs de troubles qui détruisent l'harmonie et profanent les valeurs de l'américanisme. Il faut donc les arrêter pour pouvoir vivre tous ensemble. Le chef d'entreprise et le balayeur ont des intérêts identiques. Nous pouvons tous mettre nos efforts en commun et travailler dans l'harmonie pour l'américanisme en nous aimant les uns les autres. Voilà essentiellement le contenu du message. On a consacré une monumentale énergie à le faire passer. Après tout, c'est de la communauté des affaires qu'il s'agissait, une communauté qui contrôle les médias et possède des moyens considérables. Et cela a marché. Le procédé a été remarquablement efficace. Plus tard, on a appelé cette technique la «formule de Mohawk

Valley » et on l'a systématiquement appliquée pour briser les grèves. Qualifiée de « méthode scientifique pour briser les grèves », elle s'est révélée très efficace pour mobiliser l'opinion publique en faveur de concepts creux comme celui de l'américanisme. Qui pourrait bien s'y opposer ou s'opposer à l'harmonie ? Ou bien s'opposer au slogan de la guerre du Golfe : « Appuyez nos soldats » ; qui pourrait être contre ? Ou encore contre les rubans jaunes à porter à la boutonnière ? Qui pourrait être contre quelque chose de parfaitement creux ?

En fait, quel sens aurait une question comme : « Appuyez-vous les gens qui vivent en Iowa ? » Est-il possible de répondre « oui, je les appuie » ou « non, je ne les appuie pas » ? On ne pose pas une question pareille, cela n'a pas de sens. Et c'est bien là le but. Le but du slogan « Appuyez nos troupes » répandu par les services de relations publiques est de n'avoir aucun sens. Il n'a pas plus de sens qu'un slogan tel que « Appuyez les gens de l'Iowa ». Évidemment, dans le cas des troupes, il existait un enjeu que l'on pourrait formuler par la question : « Approuvez-vous notre politique ? » Mais il n'est pas souhaitable que le peuple se pose ce genre de question. Là réside le principe d'une bonne propagande. Il s'agit de créer un slogan que personne ne puisse contester et tous l'approuveront. Ce slogan, personne n'a jamais la moindre idée de ce qu'il signifie, parce qu'il ne signifie rien. Son point fort, c'est de détourner l'attention du problème important, de la question qui, *elle,* a un sens, comme : « Approuvez-vous notre politique ? » C'est justement la question qu'il n'est pas permis de soulever. Mais, bien entendu, on peut donner son avis sur l'appui à nos troupes. Et quel est-il cet avis ? Il est que, « bien sûr, on ne peut pas *ne pas* les appuyer ». La partie est gagnée. C'est comme pour l'américanisme et l'harmonie. Nous sommes tous ensemble, rallions-nous à des slogans creux, allons-y de bon cœur, assurons-nous que nous ne permettrons pas à des gens odieux dans notre entourage de troubler notre harmonie en parlant de lutte des classes, de droits et de toutes sortes de choses comme celles-là.

Tout cela est d'une grande efficacité et continue à bien fonctionner de nos jours. Bien entendu, le phénomène est préparé avec beaucoup de minutie. Les gens qui travaillent dans l'industrie des relations publiques ne le font pas pour leur plaisir. Ils travaillent. Ils s'efforcent d'inculquer les valeurs appropriées. Ils savent ce que doit être une démocratie, à savoir un régime politique dans lequel la classe des spécialistes reçoit une formation pour servir les maîtres, ceux qui possèdent la société. Le reste de la population doit être privé de toute possibilité de s'organiser, car s'organiser, c'est provoquer des troubles. Les gens doivent rester assis devant le téléviseur, isolés les uns des autres, et se mettre dans le crâne le message qui leur dit que la seule ambition respectable dans la vie est d'acquérir davantage de biens matériels ou de vivre comme ces familles aisées de la classe moyenne que montre la télévision, et que seules comptent les valeurs inestimables de l'américanisme et de l'harmonie. C'est tout ce qui compte dans la vie. On peut se dire dans son for intérieur qu'il doit bien y avoir quelque chose de plus dans la vie, mais, seul devant son téléviseur, que peut-on conclure, sinon qu'il faut être fou pour penser ainsi puisque la télévision ne montre rien d'autre ? Et puisqu'on ne permet pas aux gens de s'organiser — c'est un point crucial —, il leur est impossible de vérifier qu'ils ne sont pas fous de penser ce qu'ils pensent. C'est normal de penser cela, car c'est la première idée qui s'impose à l'esprit.

C'est donc là le modèle idéal et on déploie des efforts considérables pour tenter de le réaliser. De toute évidence, il s'agit d'un idéal qui repose sur une conception précise de la démocratie ; la seconde conception dont j'ai parlé. Le troupeau dérouté est un problème. Il faut l'empêcher de rugir et de tout piétiner. Il faut le distraire. Il faut qu'il regarde à la télé les championnats de football, les comédies de situation ou les films violents. De temps en temps, il est bon de l'inciter à scander des slogans insipides comme «Appuyez nos soldats». Il importe aussi de l'effrayer, car faute d'être hanté par toutes sortes de peurs et de démons qui menacent de le détruire, chez soi comme à l'étranger, le troupeau pourrait commencer à penser, ce qui serait très dangereux parce qu'il n'a pas la compétence requise pour le faire. Par conséquent, il est important de le distraire et de le tenir à l'écart.

Il s'agit d'une certaine conception de la démocratie. En fait, pour en revenir à la communauté des affaires, la Loi Wagner de 1935 fut bien la dernière victoire des travailleurs. Une fois la guerre déclarée, on assista à l'affaiblissement des syndicats et au déclin de la riche culture de la classe ouvrière, qui était directement reliée au syndicalisme. Tout cela fut détruit. Nous sommes alors passés à une société dominée à un degré remarquable par le milieu des affaires. Nous sommes l'unique société industrielle au sein d'un État capitaliste à ne pas disposer des protections sociales élémentaires que l'on retrouve habituellement dans ces sociétés. Je crois que, mise à part l'Afrique du Sud, nous sommes la seule société industrielle à ne pas posséder de régime national de soins de santé. Notre société ne s'engage même pas à assurer le minimum nécessaire à la survie de ceux qui, dans la population, ne peuvent s'adapter aux règles du jeu et suffire eux-mêmes à leurs besoins. Les syndicats, ainsi que d'autres formes de mouvements populaires, sont à peu près inexistants. Il n'existe ni partis politiques proprement dits ni mouvements organisés. Il y a un long chemin à faire pour se rapprocher d'une situation idéale, du moins d'un point de vue structurel. Les médias appartiennent à un monopole d'affaires. Tous propagent les mêmes idées. Les deux partis politiques sont deux factions du parti des affaires.

La plupart des gens ne se donnent même pas la peine de voter, car cela n'a aucun sens. Chaque personne est dans sa tour d'ivoire et on l'incite habilement à se divertir. Du moins est-ce là le but poursuivi. D'ailleurs, Edward Bernays, le chef de file du secteur des relations publiques, venait de la Commission Creel. Il en faisait partie, il y a fait son apprentissage et il l'a poursuivi en développant le concept de la «fabrication du consentement» qu'il décrivait comme l'«essence de la démocratie». Ceux qui sont capables de fabriquer le consentement sont ceux qui disposent des ressources et du pouvoir, à savoir la communauté des affaires, et c'est pour eux que l'on travaille.

Chapitre IV

Fabriquer l'opinion

IL EST ÉGALEMENT IMPORTANT de forcer la population à prendre parti en faveur d'interventions militaires à l'étranger. Généralement, la population est pacifiste, tout comme elle l'était au moment de la Première Guerre mondiale. Le peuple n'a aucune raison de s'engager dans des interventions militaires à l'étranger, des tueries et des tortures. Il *faut* donc le mobiliser et pour le mobiliser, il faut l'effrayer. Bernays lui-même a remporté une brillante victoire dans ce domaine. C'est lui qui était chargé de la campagne de relations publiques de la compagnie United Fruit en 1954, lorsque les États-Unis sont intervenus au Guatemala pour y renverser le gouvernement démocratique et capitaliste et y installer la mortelle société des escadrons de la mort qui y règne toujours grâce aux continuelles subventions du gouvernement américain, versées dans le but d'y contrecarrer toute déviation démocratique

significative. Comme le peuple s'oppose tout naturellement aux programmes de politique intérieure
qui lui sont défavorables, il est constamment nécessaire d'imposer ces programmes. Cela exige aussi
le déploiement de la propagande considérable dont
nous avons amplement fait l'expérience au cours
des 10 dernières années. Les programmes de Reagan
étaient extraordinairement impopulaires. En 1984,
les deux tiers environ des électeurs qui lui don-
nèrent son « écrasante victoire » espéraient qu'il
n'appliquerait pas ses politiques. Si l'on prend des
programmes spécifiques, comme celui de l'armement ou des restrictions budgétaires dans le domaine social, etc., on se rend compte que la grande
majorité de la population les rejetait presque tous.
Malheureusement, bien que l'opinion en faveur de
dépenses dans le domaine social plutôt que dans le
domaine de l'armement puisse se révéler largement
majoritaire dans les sondages, tant que les gens qui
ont cette opinion sont marginalisés, assujettis aux
moyens conçus pour les distraire et privés de tout
moyen de s'organiser et de faire valoir leur opinion,
au point d'ignorer dans leur isolement que d'autres
partagent leur point de vue, ils ne peuvent échapper
au sentiment qu'ils sont bien les seuls à qui une
idée aussi saugrenue puisse venir à l'esprit. Ils n'ont
jamais entendu personne exprimer la même opinion qu'eux. Nul n'est censé penser ainsi. Par conséquent, si vous pensez ainsi et le dites à l'occasion
d'un sondage, vous supposez simplement que vous

êtes bizarre. Puisqu'il n'existe aucun moyen de re-joindre les individus qui partagent votre point de vue et qui pourraient le renforcer ou même vous aider à le faire valoir, vous vous dites que vous êtes un excentrique, un drôle d'oiseau. Vous vous re-tranchez dans votre tour d'ivoire et ne vous intéres-sez plus à ce qui se passe. Vous vous occupez autre-ment, vous regardez la finale du championnat de football à la télévision.

Dans l'ensemble, les résultats obtenus se rappro-chent de l'idéal recherché, mais cet idéal n'a jamais été totalement réalisé. Il y a encore certaines insti-tutions qu'il a été impossible de détruire. Les églises, par exemple, existent encore. Une bonne partie de l'opposition aux États-Unis prend naissance dans les églises, simplement parce qu'elles sont là. En Europe, on fera probablement un discours poli-tique dans le local d'un syndicat. Aux États-Unis, cela ne se produit pas, d'abord parce que les syn-dicats sont presque inexistants et ensuite, parce que ceux qui existent ne sont pas politisés. Mais au con-traire, les églises existent ; par conséquent, c'est sou-vent là que l'on fait des discours. Le mouvement de solidarité en faveur de l'Amérique centrale a pris son essor dans les églises, surtout parce qu'elles exis-tent toujours.

La lutte n'est jamais terminée, car le troupeau dérouté n'est jamais parfaitement dompté. Durant les années 1930, il s'est rebellé de nouveau et a été ramené à l'ordre. Au cours des années 1960, une nouvelle vague de contestation est apparue. On lui a donné un nom. La classe des spécialistes l'a appelée la «crise de la démocratie», considérant alors que la démocratie entrait dans une période de crise, parce qu'une importante partie de la population s'organisait, agissait et essayait d'intervenir sur la scène politique, ce qui nous ramène à la question des deux conceptions de la démocratie. Selon le dictionnaire, ce genre de crise est un *progrès* démocratique; selon la conception dominante, c'est un *problème,* c'est une crise qu'il faut résoudre. On doit ramener la population à l'état qui lui est propre: l'apathie, l'obéissance et la passivité. Il est donc nécessaire de faire quelque chose pour résoudre la crise. On a entrepris des efforts en ce sens, mais en vain. La crise perdure et se porte bien fort heureusement, mais elle ne réussit pas à changer la politique. Pourtant, contrairement à ce que beaucoup de gens pensent, elle réussit à modifier les opinions. Après les années 1960, d'innombrables efforts ont été mis en œuvre pour guérir cette maladie et la vaincre. On a baptisé l'une de ses manifestations d'un nom très technique: le «syndrome du Viêt Nam». On s'est même donné la peine à l'occasion de proposer une définition de l'expression qui a surgi dans le langage au cours des années 1970. Norman Podhoretz, un des penseurs de Reagan, l'a qualifiée d'«inhibition maladive de l'usage de la force militaire». Il y avait, chez une grande partie de la population, une inhibition pathologique de la violence. Tout bonnement, les gens ne comprenaient pas pourquoi les États-Unis devaient intervenir dans le monde en torturant, en tuant et en bombardant. Il est fort dangereux qu'un peuple succombe à une telle inhibition, comme l'avait compris Goebbels, car dès lors, les possibilités d'intervention à l'étranger sont limitées. Il est nécessaire, comme l'a exprimé plutôt fièrement le *Washington Post* en pleine hystérie de la guerre du Golfe, d'inculquer aux gens le respect des «valeurs martiales». C'est important. Si l'on veut disposer d'une société violente qui sache utiliser la force dans le monde entier afin d'atteindre les objectifs de son élite, il est nécessaire de cultiver comme il se doit les valeurs martiales et non l'inhibition maladive de l'usage de la violence. Voilà le syndrome du Viêt Nam. Il faut s'en débarrasser.

CHAPITRE V

Falsifier l'Histoire

IL EST ÉGALEMENT INDISPENSABLE de falsifier l'Histoire. C'est une autre façon de vaincre les inhibitions maladives. Quand nous agressons et détruisons quelqu'un, il faut faire croire que nous nous protégeons et nous défendons contre des agresseurs redoutables, des monstres, etc. Depuis la guerre du Viêt Nam, on a fait un effort *énorme* pour en récrire l'Histoire. Trop de gens avaient commencé à comprendre ce qui se passait réellement, entre autres, beaucoup de soldats ainsi que de nombreux jeunes qui militaient dans le mouvement pour la paix et d'autres citoyens. C'était déplorable. Il fallait y remédier et restaurer la pensée juste, à savoir que, quoi que nous fassions, nos actions sont toujours nobles et vertueuses. Si nous bombardons le Viêt Nam du Sud, c'est parce que nous défendons le Viêt Nam du Sud contre quelqu'un, en l'occurrence les Sud-Vietnamiens, étant donné qu'il n'y avait là personne d'autre. C'est ce que les intellectuels de Kennedy ont nommé la défense du Viêt Nam du Sud contre une «agression de l'intérieur». Cette formule a été reprise par Adlai Stevenson et par d'autres. Il était essentiel de l'imposer comme la version officielle et bien comprise des faits. Cela a marché à merveille. Le message passe comme une lettre à la poste quand le système d'éducation et les médias sont contrôlés dans leur totalité et que les érudits sont des conformistes. Une recherche de l'université du Massachusetts sur les attitudes pendant la crise du Golfe, et plus précisément sur les croyances et les attitudes qui naissent en regardant la télévision, est révélatrice à ce propos. L'une des questions posées était: «Combien, d'après vous, la guerre du Viêt Nam a-t-elle fait de victimes chez les Vietnamiens?» Selon les réponses actuelles des Américains, le nombre moyen de victimes serait d'une centaine de milliers. Le chiffre officiel est d'environ deux millions. Le nombre réel se situe probablement entre trois et quatre millions de morts. Les auteurs de cette recherche ont formulé une interrogation judicieuse: «Que penserions-nous de la culture politique allemande si, à la question concernant le nombre de Juifs qui ont péri dans l'Holocauste, les Allemands répondaient environ trois cent mille? Que pourrions-nous conclure au sujet de la culture politique allemande?» Les chercheurs n'ont pas répondu à leur propre question, mais rien ne nous empêche d'y réfléchir.

Ces résultats sont très révélateurs de notre culture. Il faut absolument venir à bout de toutes les formes d'inhibition maladive de l'usage de la force armée comme de toute autre espèce de déviation démocratique. Dans le cas cité précédemment, ce fut une réussite. À vrai dire, il n'en va pas autrement pour tous les exemples que l'on pourrait citer, quel que soit le sujet. Qu'il s'agisse du Proche-Orient, du terrorisme international ou de l'Amérique centrale, l'image du monde présentée à la population n'offre qu'une très lointaine ressemblance avec la réalité. La vérité est profondément enfouie sous les couches accumulées de mensonges. En un sens, c'est une merveilleuse réussite que d'avoir désamorcé la menace de la démocratie dans des conditions de liberté et ce fait est extrêmement intéressant. Cela ne se compare pas à ce que l'on observe dans un État totalitaire où les résultats sont obtenus par la force. Ici, on obtient les mêmes résultats dans des conditions de liberté. Si nous voulons comprendre notre propre société, notre devoir est de réfléchir à ces faits qui sont importants pour tous ceux qui se soucient de savoir quelle est la nature véritable de la société dans laquelle ils vivent.

Chapitre VI

La culture dissidente

En dépit de tous les obstacles, la culture dissidente a survécu. Depuis les années 1960, elle a prospéré de manière remarquable, bien qu'au début, son développement ait été extrêmement lent. Ce n'est que bien des années après que les États-Unis eurent commencé à bombarder le Viêt Nam du Sud que s'est exprimée l'opposition à la guerre d'Indochine. Lorsque la contestation est née, le mouvement dissident était très limité, composé essentiellement d'étudiants et de jeunes gens. Durant les années 1970, la situation a considérablement évolué. De grands mouvements populaires ont vu le jour, notamment les mouvements écologistes, féministes et antinucléaires. Au cours des années 1980, les mouvements de solidarité ont connu une expansion encore plus marquée, phénomène nouveau et important, du moins en ce qui concerne la dissidence aux États-Unis, mais peut-être aussi dans le monde entier. Il s'agissait non seulement de mouvements de protestation, mais également de mouvements engagés dans l'action, qui souvent intervenaient directement dans la vie de populations en détresse ailleurs que chez eux. Ces militants ont tiré plusieurs leçons de leurs expériences et ils ont provoqué l'évolution des mentalités chez les Américains. Toutes ces actions ont donné lieu à des changements très importants. Quiconque a pratiqué un tel engagement pendant des années ne peut manquer de s'en rendre compte. En ce qui me concerne, je sais que le genre de discours que je prononce aujourd'hui dans les régions les plus réactionnaires du pays, le centre de la Géorgie, le Kentucky rural, etc., je n'aurais pas pu les faire devant le plus militant des auditoires pacifistes au moment où le mouvement pour la paix était à son apogée. De nos jours, il est possible de tenir de tels propos n'importe où. Les gens ne sont pas nécessairement d'accord, mais au moins, ils comprennent de quoi il est question et l'on trouve généralement un terrain d'entente.

Tous ces faits révèlent l'existence d'un phénomène d'éveil social malgré toute la propagande, malgré tous les efforts déployés pour maîtriser la pensée et fabriquer le consentement. En dépit de tout, les gens développent leur capacité et leur volonté de réfléchir en profondeur. Le scepticisme envers le pouvoir s'accroît et, à l'égard de nombreux problèmes, les attitudes se sont transformées. C'est assez lent, peut-être même excessivement lent, mais ce phénomène est perceptible et important. Que cela puisse se produire suffisamment vite pour avoir un impact significatif sur ce qui se passe dans le monde, c'est là une toute autre question. La fameuse divergence entre les opinions des hommes et des femmes nous en fournit un exemple familier. Durant les années 1960, l'attitude des femmes et celle des hommes étaient à peu près la même en matière de « valeurs martiales » et d'« inhibition maladive de l'usage de la force militaire ». Personne, au début des années 1960, qu'il s'agisse des hommes ou des femmes, ne souffrait de cette inhibition maladive. Les réactions étaient partout les mêmes. Tout le monde pensait que le recours à la violence pour anéantir des peuples étrangers allait tout simplement de soi. Les années passant, cela a changé. Les cas d'inhibition maladive se sont multipliés partout, et en même temps, un écart s'est creusé entre les opinions des hommes et des femmes, un écart qui est maintenant très important. Selon les sondages, il serait d'environ 25 pour cent. Que s'est-il passé ? En fait, ce qui s'est passé, c'est qu'il existe maintenant une forme de mouvement populaire plus ou moins organisé dans lequel des femmes se sont engagées : le mouvement féministe. Le fait de s'organiser porte ses fruits, on découvre que l'on n'est pas seule, que d'autres pensent comme soi. Il devient possible de renforcer ses propres opinions et d'en apprendre davantage sur ce que l'on pense et ce en quoi l'on croit. Les mouvements de ce genre sont très informels et ne sont pas comparables à des organisations dont il faut être membre ; il s'agit simplement d'un état d'esprit qui favorise les échanges. L'effet en est très marqué. C'est là le danger de la démocratie : si des organisations ont l'occasion de se développer, si les gens ne restent plus le nez collé sur le petit écran, toutes sortes de pensées étranges vont surgir dans les esprits, susceptibles de déclencher, par exemple, l'inhibition maladive de l'usage de la force militaire. C'est un danger qu'il faut faire disparaître, mais ce n'est pas encore fait.

CHAPITRE VII

Le défilé des ennemis

PLUTÔT QUE DE CONTINUER sur le thème de la dernière guerre, abordons la question de la prochaine, car il est parfois utile de prévoir au lieu de se contenter de réagir. L'évolution des États-Unis suit actuellement un cours très caractéristique que d'autres pays ont déjà connu. On y trouve de plus en plus de problèmes sociaux et économiques qui sont peut-être déjà des catastrophes. Aucun de ceux qui sont au pouvoir n'a l'intention d'intervenir pour les résoudre. Si l'on analyse les programmes politiques des administrations publiques de ces 10 dernières années — j'inclus ici ceux du Parti démocrate quand il était dans l'opposition —, on ne trouve aucune proposition vraiment sérieuse pour remédier à ces problèmes graves qui concernent la santé, l'éducation, les sans-logis, le chômage, la criminalité, l'augmentation de la population délinquante, les prisons, la dégradation constante des conditions de vie dans les villes; pas le moindre commencement de réponse à une pléthore de problèmes. Vous les connaissez parfaitement et vous savez qu'ils s'aggravent de jour en jour. Ne serait-ce qu'au cours des deux premières années de la présidence de George Bush, trois millions d'enfants de plus sont tombés sous le seuil de pauvreté. La dette publique monte en flèche, le niveau d'instruction se détériore, les salaires réels sont revenus à ce qu'ils étaient vers la fin des années 1950 pour une grande partie de la population, et personne n'y fait quoi que ce soit. Dans de telles circonstances, il devient nécessaire de détourner l'attention du troupeau dérouté, car, s'il commence à remarquer tous ces problèmes, il se pourrait bien qu'il n'apprécie guère, étant donné qu'il en souffre. Les matchs de football et les feuilletons à la télé pourraient ne pas suffire à détourner son attention. Il est indispensable de lui faire peur en lui fabriquant des ennemis. Pendant les années 1930, Hitler a implanté dans son troupeau la peur des Juifs et des Gitans. Il fallait les anéantir pour se défendre. Nous disposons également de cibles appropriées: depuis 10 ans, tous les deux ou trois ans, on fabrique un nouveau monstre d'importance majeure contre lequel il faut nous défendre. Il fut un temps où les Russes étaient le monstre toujours disponible. Nous pouvions toujours nous défendre contre les Russes. Mais les Russes sont en train de perdre de leur attrait en tant qu'ennemis et il devient de plus en plus difficile de leur faire jouer ce rôle. C'est pourquoi d'autres diables doivent jaillir de la boîte de Pandore. En réalité, il est fort injuste qu'on ait reproché à George Bush de ne pas avoir su clairement exprimer ce qui nous pousse à agir maintenant. L'accusation est cruelle. Jusqu'au milieu des années 1980, il suffisait de faire tourner le disque *Les Russes arrivent* pendant que nous dormions. Mais George Bush ne pouvait plus entonner cet air-là. Il lui a fallu en inventer de nouveaux, comme l'avait fait le comité des relations publiques de Reagan pendant les années 1980. C'est ainsi qu'ont été créés le terrorisme international, les narcotrafiquants, les Arabes déments et Saddam Hussein, le nouvel Hitler qui allait conquérir le monde. Ils surgissent de la boîte à malice les uns après les autres. Il s'agit d'effrayer la population, de la terroriser et de l'intimider de telle sorte qu'elle n'ose plus voyager et tremble de peur, enfermée chez elle. Ensuite survient une victoire magnifique à la Grenade, au Panama ou contre quelque autre armée du tiers monde incapable de résister, qu'il est possible de réduire en poussière sans même prendre le temps d'y penser, comme cela s'est effectivement produit. C'est alors le soulagement. Nous avons été sauvés *in extremis*. C'est ainsi qu'on s'y prend pour empêcher le troupeau dérouté de voir ce qui se passe réellement, pour détourner son attention et pour le contrôler. Il est fort probable que Cuba soit en tête de liste des prochains conflits. Il faudra maintenir l'embargo illégal et peut-être ressusciter le merveilleux terrorisme international. Dans ce genre, l'opération Mangouste, sous Kennedy, a atteint un sommet, avec l'ensemble des mesures contre Cuba qui en ont découlé. Aucune autre ne peut lui être comparée, même de très loin, à l'exception peut-être de la guerre contre le Nicaragua, si on peut la classer dans la catégorie du terrorisme. La Cour internationale de justice l'a plutôt classée dans celle des agressions. Le scénario est toujours le même : d'abord une offensive idéologique destinée à fabriquer un monstre chimérique ; ensuite le lancement d'une campagne pour l'anéantir. Mais il n'est pas possible de se lancer dans une bataille si les agressés sont capables de se défendre. C'est trop dangereux. En revanche, si l'on est assuré de les anéantir, rien n'empêche de les mettre hors d'état de nuire et de s'offrir un nouveau soupir de soulagement.

CHAPITRE VIII

Une sensibilité sélective

DEPUIS UN CERTAIN TEMPS, notre sensibilité est très sélective. Les mémoires d'Armando Valladares, un prisonnier cubain libéré, ont paru en mai 1986. Les médias en ont aussitôt fait un sujet à sensation. Je commencerai donc par quelques citations extraites de la presse. Les médias décrivaient les révélations de l'auteur comme « le compte-rendu qui fait autorité sur le vaste système de torture et d'emprisonnement grâce auquel Castro réprime et liquide l'opposition politique ». Il s'agissait d'un « témoignage bouleversant et inoubliable » sur les « conditions bestiales d'emprisonnement », sur la « pratique inhumaine de la torture », d'un compte-rendu sur la violence d'État imputable à l'un des plus grands meurtriers de ce siècle qui, du moins l'apprenons-nous dans cette recension, « a créé un nouveau despotisme qui a institutionnalisé la torture comme mécanisme de contrôle social dans l'enfer de Cuba tel que l'a vécu [Valladares]». Ces commentaires furent repris plusieurs fois dans le *Washington Post* et le *New York Times*. Castro était décrit comme un «gangster dictatorial». Les atrocités de Castro étaient exposées dans ce livre d'une manière tellement convaincante que «seul un intellectuel occidental frivole et insensible pourrait prendre la défense du tyran» écrivait le *Washington Post*. N'oublions pas qu'il s'agit du témoignage de ce qui est arrivé à un seul homme. Admettons que ce soit entièrement vrai. N'émettons aucun doute sur ce qui est arrivé à cet homme qui raconte avoir été torturé. Ronald Reagan a rendu hommage à Valladares au cours d'une cérémonie à la Maison-Blanche à l'occasion de la Journée des droits de l'homme en célébrant le courage avec lequel il avait enduré les horreurs et le sadisme du tyran sanguinaire de Cuba. Valladares a ensuite été nommé représentant des États-Unis à la Commission des droits de l'homme des Nations unies, où il lui a été possible de rendre de signalés services en prenant la défense des gouvernements du Salvador et du Guatemala accusés d'avoir perpétré des atrocités à une échelle telle qu'elles rendaient presque insignifiantes les souffrances qu'il avait lui-même endurées. Voilà où en sont les choses.

C'était en mai 1986. Ce sont des faits intéressants et révélateurs quant à la façon dont fonctionne la fabrication du consentement. Le même mois, les survivants du Groupe de défense des droits de la personne du Salvador ont été arrêtés et torturés (les chefs avaient été tués). Parmi eux se trouvait le directeur du groupe, Herbert Anaya. Ces hommes ont été incarcérés dans une prison nommée *La Esperanza* (l'Espérance). Pendant leur incarcération, ils ont poursuivi leur action en faveur des droits de la personne. Ils étaient avocats et ils ont recueilli des déclarations assermentées des 432 prisonniers que comptait la prison. Ils ont obtenu des témoignages signés par 430 d'entre eux qui ont décrit sous serment les tortures auxquelles ils avaient été soumis. Dans ces témoignages figuraient, entre autres atrocités, les récits de torture par courant électrique ainsi que le compte-rendu détaillé d'une séance de torture infligée par un major revêtu de l'uniforme de l'armée américaine. C'est un témoignage rare, exhaustif et explicite, sans doute unique par la description détaillée qu'il donne de ce qui se déroule dans une chambre de torture. Il a été possible de faire sortir clandestinement de la prison ces déclarations assermentées sous la forme d'un compte-rendu de 160 pages, accompagné d'une cassette vidéo tournée dans la prison dans laquelle on peut voir les détenus qui racontent les tortures qu'ils ont subies. Le compte-rendu et la cassette vidéo ont été distribués par le Groupe de travail œcuménique de Marin County. *La presse nationale a refusé de rendre compte de l'événement. Les chaînes de télévision ont refusé de diffuser la cassette vidéo.* À ma connaissance, il y a eu en tout et pour tout un article dans le journal local de Marin County, le *San Francisco Examiner*. Personne d'autre n'a accepté de se compromettre. C'était une époque où il y avait plus d'«un intellectuel occidental frivole et insensible» qui vantait les mérites de José Napoleón Duarte et de Ronald Reagan. Anaya n'a fait l'objet d'aucun hommage public. On ne l'a pas invité à la Journée des droits de l'homme. Il n'a été nommé à aucune fonction. Il a été relâché lors d'un échange de prisonniers et ensuite assassiné, semble-t-il, par des policiers parrainés par les États-Unis. Nous avons très peu d'informations à ce sujet. Les médias ne se sont jamais demandé s'ils auraient pu lui sauver la vie en révélant les atrocités qu'il avait mises en lumière au lieu de les passer sous silence.

Tout cela révèle comment fonctionne la fabrication du consentement dans un système aux rouages bien huilés. Comparés aux révélations de Herbert Anaya au Salvador, les mémoires de Valladares sont un événement mineur. Mais il faut bien que soit fait le travail qui sert de prélude à la prochaine guerre. Je pense que nous allons de plus en plus souvent en entendre parler jusqu'à la mise en place de la prochaine opération.

Quelques remarques s'imposent au sujet de la guerre du Golfe pour terminer ce chapitre. Reprenons la recherche de l'université du Massachusetts mentionnée précédemment. Ce travail contient d'intéressantes conclusions. Dans le questionnaire, on demandait aux gens s'ils pensaient que les États-

Unis devraient intervenir par la force pour mettre un terme à des occupations illégales de territoire ou à de sérieuses violations des droits de la personne. Deux personnes sur trois ont répondu que nous devrions intervenir en cas d'occupation de territoire et en cas de *sérieuses* violations des droits de la personne. Si les États-Unis suivaient ce conseil, nous devrions bombarder le Salvador, le Guatemala, l'Indonésie, Damas, Tel-Aviv, le Cap, la Turquie, Washington et une liste interminable d'autres États, tous coupables d'occupation illégale et d'agression ainsi que de sérieuses violations des droits de la personne. Quand on connaît les faits concernant l'ensemble de ces exemples, on sait très bien que l'invasion et les atrocités commises par Saddam Hussein sont du même ordre. Ce ne sont pas les pires. Pourtant personne n'arrive à cette conclusion. Pourquoi ? La réponse est simple : parce que personne n'en sait rien. Dans un système de propagande efficace à 100 pour cent, personne ne saurait à quoi je fais allusion quand je dresse cette liste d'exemples. Mais pour peu que l'on ait pris la peine de se renseigner, on constate que ces exemples sont tout à fait appropriés.

Prenons un cas qui a presque réussi à faire surface pendant la guerre du Golfe. En février, au beau milieu de la campagne de bombardements, le gouvernement libanais a demandé qu'Israël se conforme à la résolution 425 du Conseil de sécurité des Nations unies qui exigeait le retrait immédiat et inconditionnel des troupes israéliennes du Liban. Cette résolution date du mois de mars 1978. Depuis, deux autres résolutions ont été adoptées ; elles réclament le retrait immédiat et inconditionnel d'Israël du territoire libanais. Bien entendu, Israël ne s'y conforme pas parce que les États-Unis appuient cette occupation. Pendant ce temps, la terreur règne dans le Sud du Liban. Il s'y trouve de vastes chambres de torture dans lesquelles se déroulent des choses horrifiantes. Le Sud du Liban est utilisé comme base pour attaquer d'autres parties du pays. Depuis 1978, le Liban a été envahi, la ville de Beyrouth a été bombardée, près de 20 000 personnes ont été tuées, dont 80 pour cent de civils, les hôpitaux ont été détruits et un régime de terreur, de pillages et de vols s'est installé. Pas de problème : les États-Unis ont appuyé cela. Ce n'est là qu'un exemple parmi d'autres. Les médias n'en ont rien dit et on n'y a pas abordé la question de savoir si Israël et les États-Unis devaient appliquer la résolution 425 ou quelque autre résolution, personne n'a réclamé le bombardement de Tel-Aviv, alors que, selon les principes défendus par les deux tiers de la population, nous devrions le faire. Après tout, nous sommes devant un cas d'occupation illégale et de sérieuses violations des droits de la personne. Ce n'est qu'un exemple, il y en a de bien pis. L'invasion de Timor-Oriental par l'Indonésie a causé la mort de près de 200 000 personnes. Tous les exemples donnés semblent insignifiants en comparaison de ce dernier. Les États-Unis ont donné leur appui à cette invasion qui se *poursuit* grâce à l'important soutien militaire et diplomatique de notre pays. On pourrait sans fin continuer sur ce thème.

CHAPITRE IX

La guerre du Golfe

LE DERNIER EXEMPLE évoqué au chapitre précédent illustre bien comment fonctionne un système de propagande efficace. La population peut croire que, lorsque nous avons recours à la force contre l'Irak et le Koweït, c'est parce que nous appliquons le principe selon lequel il faut combattre par la force toute occupation illégale de territoire et toute violation des droits de la personne. La population ne se rend pas compte de ce qui se passerait si ce principe était appliqué à la lettre à la conduite des États-Unis. Ici, l'exploit de la propagande est tout à fait spectaculaire.

Considérons un autre cas. Si l'on prend la peine d'analyser la couverture de presse de la guerre du Golfe à compter du mois d'août 1990, on ne peut manquer de constater que certains n'ont pas eu voix au chapitre. Par exemple, il existe un mouvement d'opposition démocratique irakien, un mouvement très courageux et dont l'importance est loin d'être négligeable. Bien évidemment, ce mouvement est en exil, car il ne pourrait survivre en Irak. Il est surtout implanté en Europe et regroupe des banquiers, des ingénieurs, des architectes, etc. Ce sont des gens qui s'expriment facilement, dont les revendications sont claires et qui ne manquent pas de les faire connaître. Selon des informations émanant de l'opposition démocratique irakienne, plusieurs de ces personnes se sont rendues à Washington au mois de février 1990, quand Saddam Hussein était encore le bon ami et l'allié commercial de George Bush, afin d'y faire valoir la cause de l'opposition démocratique irakienne et d'obtenir quelque soutien à sa revendication pour l'instauration d'une démocratie parlementaire en Irak. Ils ont essuyé une rebuffade, purement et simplement, car les États-Unis n'avaient aucun intérêt à prendre en considération leurs revendications. Il n'y a pas eu de réaction du côté des médias.

À compter du mois d'août, il devenait un peu plus difficile de passer sous silence l'existence de l'opposition démocratique irakienne. En août, les États-Unis se sont soudain retournés contre Saddam Hussein après lui avoir accordé leurs faveurs pendant des années. L'opposition démocratique devait forcément avoir une opinion sur les événements en cours. Tous les démocrates irakiens en exil auraient été ravis de voir Saddam Hussein destitué et écartelé. Ce sont leurs frères qu'il avait assassinés, leurs sœurs qu'il avait torturées et eux-mêmes qu'il avait contraints à l'exil. Ils avaient combattu la tyrannie de Saddam Hussein pendant toute la période où Ronald Reagan et George Bush le chérissaient. Qu'a-t-on fait de leur opinion? Il suffit de consulter la presse américaine pour constater le peu d'intérêt accordé à l'opposition démocratique irakienne entre le mois d'août 1990 et le mois de mars 1991. Il est impossible de trouver une seule ligne qui lui soit consacrée. La raison ne réside pas dans leur silence. Ils ont fait des déclarations, des propositions, des demandes et ont formulé des exigences qui ressemblent en tout point, si on en fait l'analyse, à celles du mouvement américain pour la paix. Ils étaient contre Saddam Hussein, mais ils s'opposaient à la guerre contre l'Irak. Ils ne voulaient pas que leur pays soit détruit. Ce qu'ils désiraient, c'était une solution pacifique. Ils savaient parfaitement qu'une telle solution était possible. Mais ce point de vue était inacceptable pour les États-Unis, par conséquent, on l'a exclu. Pas une seule bribe des propos de l'opposition démocratique irakienne n'a été portée à la connaissance de la population. Si l'on veut s'informer à ce sujet, il faut choisir la presse allemande ou la presse britannique. Bien qu'elles aient peu traité de cette opposition, elles sont toutefois moins étroitement contrôlées que la presse américaine et en ont dit un peu plus.

Cet exploit de la propagande est tout à fait impressionnant, car non seulement l'opinion des démocrates irakiens a été complètement exclue, mais encore personne n'a remarqué ce fait. Voilà qui est fort intéressant. Il faut qu'une population soit vraiment profondément endoctrinée pour ne pas remarquer le silence de l'opposition démocratique irakienne, pour ne pas se demander la raison de ce silence et pour ne pas trouver la réponse évidente : parce les démocrates irakiens avaient leurs idées propres, ils étaient d'accord avec le mouvement international pour la paix et par conséquent, ils ont été exclus.

Examinons les arguments offerts pour justifier la guerre, car on a tenté de la justifier. Il ne faut jamais récompenser les agresseurs et il est obligatoire de contrecarrer toute agression par un recours rapide à la violence. Tels ont été les arguments invoqués pour justifier la guerre. Il n'y en pas eu d'autres. Ces arguments peuvent-ils vraiment justifier cette guerre ? Les États-Unis appliquent-ils réellement le principe selon lequel on ne doit pas récompenser les agresseurs et qu'il faut contrecarrer toute agression par un recours rapide à la violence ? Les faits qui démontrent le contraire sont si nombreux et si évidents que n'importe quel adolescent qui sait lire et écrire peut réfuter ces arguments en moins de deux minutes. Cependant, ils n'ont jamais été réfutés. Dans les médias, parmi les commentateurs et les critiques libéraux, parmi les gens qui ont témoi-

gné devant le Congrès, nous chercherions vaine-
ment un seul exemple d'une personne qui se soit
demandé si les États-Unis appliquent ce principe.
Les États-Unis se sont-ils opposés à leur propre agression contre le Panama en réclamant le bombardement de Washington afin de contrecarrer l'agression? En 1969, lorsque l'occupation de la Namibie
par l'Afrique du Sud a été déclarée illégale, les États-
Unis ont-ils imposé des sanctions touchant l'appro-
visionnement de denrées alimentaires ou l'achemi-
nement de médicaments? Ont-ils déclaré la guerre?
Ont-ils bombardé Le Cap? Non, ils ont mené une
« diplomatie tranquille » pendant 20 ans. Ce n'était
pas très joli pendant ces 20 ans. Pendant les seules
années de l'administration Reagan et de l'administration Bush, l'Afrique du Sud a tué environ un
million et demi de personnes dans les pays environ-
nants. Mais oublions ce qui s'est passé en Afrique
du Sud et en Namibie. D'une certaine manière,
cela n'a pas fait vibrer nos cordes sensibles. Nous
avons maintenu notre « diplomatie tranquille » et
avons fini par récompenser largement les agresseurs.
Nous leur avons concédé le principal port de la
Namibie et beaucoup d'avantages qui tenaient
compte de leur désir d'assurer leur propre sécurité.
Où est ce principe que nous défendons? Encore
une fois, c'est un jeu d'enfant de montrer que nos
raisons d'entrer en guerre ne reposaient nullement
sur ce principe, parce que nous ne l'appliquons pas.
Personne n'a essayé d'en faire la preuve et c'est ce

qu'il importe de bien garder à l'esprit. Nul ne s'est donné la peine de tirer la conclusion qui en découle : aucune raison n'a été donnée pour justifier notre entrée en guerre. Absolument aucune. Aucune raison qu'un adolescent qui sait lire et écrire n'aurait pu réfuter en deux minutes. Ce fait est caractéristique d'une culture totalitaire. Cela devrait nous effrayer d'être un pays totalitaire au point d'entrer en guerre sans qu'aucune raison ne soit fournie et sans que personne ne remarque la réclamation du Liban ou ne s'en soucie. C'est tout à fait remarquable.

Juste avant que les bombardements ne commencent à la mi-janvier, un sondage important du *Washington Post* et d'ABC a révélé un fait intéressant. Dans ce sondage, on demandait aux gens s'ils appuieraient une proposition irakienne de se retirer du Koweït à la condition que le Conseil de sécurité examine la question du conflit israélo-arabe. Deux personnes sur trois étaient favorables à cette idée. La même opinion prédominait dans le monde entier, ainsi que dans les rangs de l'opposition démocratique irakienne. Les résultats de ce sondage ont été publiés : les deux tiers environ de la population américaine étaient favorables à cette idée. Les gens à qui cette idée plaisait ont probablement cru qu'ils étaient seuls au monde à l'appuyer, car personne dans la presse n'avait suggéré que c'était une bonne idée. Les ordres de Washington étant de rejeter les

« conditions liées au retrait[1] », c'est-à-dire, la diplomatie, la presse a obéi au doigt et à l'œil et s'est opposée à toute démarche diplomatique. Si l'on cherche un commentaire dans la presse, on peut trouver un article d'Alex Cockburn dans le *Los Angeles Times,* dans lequel il soutient que se serait une bonne idée. Les personnes qui, lors du sondage, ont répondu favorablement se disaient : « je suis la seule, mais c'est cela que je pense ». Imaginons à présent qu'elles aient su qu'elles n'étaient pas seules, que d'autres partageaient leur opinion, par exemple l'opposition démocratique irakienne. Imaginons qu'elles aient su qu'il ne s'agissait pas d'une pure hypothèse, mais que l'Irak avait bel et bien fait cette proposition, comme l'avaient révélé de hauts fonctionnaires américains huit jours auparavant. Le 2 janvier 1991, ces fonctionnaires ont révélé que l'Irak proposait de se retirer du Koweït à la condition que le Conseil de sécurité prenne en considération la question du conflit israélo-arabe et celle des armes de destruction massive. Les États-Unis avaient refusé de négocier ces questions bien avant l'invasion du Koweït. Imaginons que les gens aient appris que l'offre de négociation avait été déposée et qu'elle avait l'appui d'une grande partie de la population. À vrai dire, c'est le genre d'occasion que saisirait toute personne raisonnable qui veut

---

1. Voir à ce sujet, Noam Chomsky, *Les dessous de la politique de l'Oncle Sam,* Écosociété/EPO/Le Temps des cerises, 1996, p. 67 à 76.

la paix. C'est ce que nous faisons dans d'autres cas, dans les rares cas où nous voulons mettre un terme à une agression. Imaginons que cela se soit su. Chacun peut tirer ses propres conclusions ; quant à moi, j'estime que, des deux tiers de la population, on serait passé à 98 pour cent. Mais il en a été autrement et c'est une grande réussite de la propagande. Il est probable que pas une des personnes qui ont répondu au sondage n'était au courant de ce que je viens de mentionner. Chacune se percevait comme un cas isolé. Par conséquent, il a été facile de poursuivre la politique de guerre sans rencontrer d'opposition.

De nombreuses discussions pour déterminer si des sanctions économiques seraient efficaces ont eu lieu. Le directeur de la CIA y participait. Mais il n'y a eu aucune discussion sur une question qui pourtant s'imposait : les sanctions déjà prises s'étaient-elles avérées efficaces ? La réponse est oui, les sanctions avaient apparemment portés fruits et ce, probablement dès la fin du mois du mois d'août [1990] et plus certainement, vers la fin du mois de décembre. Il est très difficile d'imaginer un autre motif à l'offre faite par l'Irak de retirer ses troupes du Koweït. Cette offre révélée par quelques hauts fonctionnaires américains et dont l'authenticité a été établie était, selon leurs propres termes, « sérieuse » et « négociable ». La vraie question est donc : les sanctions déjà en vigueur s'étaient-elles déjà révélées efficaces ? Y avait-il une façon de sortir de l'impasse? Une façon acceptable pour l'ensemble de la population, pour le monde entier et pour l'opposition démocratique irakienne? Ces questions n'ont pas été abordées et, dans un système de propagande efficace, il est essentiel *qu'elles ne le soient pas*. Cela permet au président du Comité national du Parti républicain de dire maintenant que si un quelconque membre du Parti démocrate avait été au pouvoir, le Koweït ne serait pas encore libéré. Il lui est possible de le dire, car aucun démocrate ne risque de se lever pour répondre que, s'il avait été président, non seulement le Koweït serait libéré, mais qu'il l'aurait été six mois plus tôt, parce qu'il aurait tenu compte, lui, des possibilités de solution négociée qui s'offraient alors, ce qui aurait permis de libérer le Koweït en évitant de tuer des dizaines de milliers de personnes et sans provoquer de catastrophe écologique. Aucun démocrate ne peut répondre cela, car aucun démocrate n'a pris position en faveur de la négociation. Henry Gonzales et Barbara Boxer l'ont fait, mais le nombre de personnes qui ont adopté cette position est tellement infime qu'il est insignifiant. Étant donné que presque aucun démocrate ne pourrait tenir ces propos, Clayton Yeutter [2] est libre de faire les déclarations qu'il veut.

---

2. Le président du Comité national du Parti républicain. (NDT)

Quand des missiles Scud se sont abattus sur Israël, personne dans la presse ne s'est réjoui. Nous sommes devant un autre cas qui en dit long sur ce que peut un système de propagande efficace. Comment cela se fait-il? peut-on se demander. Après tout, les arguments de Saddam Hussein étaient aussi valables que ceux de George Bush. Quels sont-ils exactement? Considérons simplement le cas du Liban. Saddam Hussein dit qu'il ne peut pas endurer l'annexion du territoire libanais. Il ne peut pas laisser agir Israël qui, à l'encontre des décisions unanimes du Conseil de sécurité, a annexé le plateau du Golan et Jérusalem-Est. Il ne peut pas endurer cette agression. Israël occupe le Sud du Liban depuis 1978, en violation des résolutions du Conseil de sécurité qu'il refuse d'appliquer. Depuis cette époque, Israël a attaqué tout le Liban et continue à le bombarder à volonté. Saddam Hussein ne peut pas endurer cela. Il se peut qu'il ait lu les rapports d'Amnistie internationale qui dénoncent les atrocités commises par Israël dans les territoires occupés. Il en a mal au cœur, Saddam Hussein. Il ne peut pas endurer cela. On ne peut pas appliquer de sanctions, car les États-Unis y ont opposé leur *veto*. Les négociations ne peuvent pas aboutir, car les États-Unis les empêchent de progresser. Que reste-t-il, sinon le recours à la force? Sadham Hussein a attendu pendant des années: 13 ans dans le cas du Liban, 20 ans dans le cas des territoires occupés. Cet argument nous est familier. La seule différence entre cet argument et celui que l'on sait est que Saddam Hussein peut vraiment dire que les sanctions et les négociations ne servent à rien et ce, parce que les États-Unis s'y refusent. George Bush, quant à lui, ne pouvait pas dire cela parce que les sanctions étaient apparemment efficaces et que l'on avait toutes les raisons de croire que les négociations aboutiraient. Mais voilà, Bush a refusé catégoriquement de négocier ; il a carrément déclaré : il n'y aura pas de négociations. S'est-il trouvé un seul journaliste pour s'en étonner ? Non. Personne n'avait de temps à perdre en futilités. Rappelons qu'il s'agit là de faits dans lesquels un adolescent verrait clair en moins de temps qu'il ne faut pour le dire. Mais personne n'a abordé le sujet, pas un commentateur, pas un seul éditorialiste. Ce phénomène à lui seul est révélateur d'une solide culture totalitaire. On peut y voir le signe que la fabrication du consentement réussit.

Avant de conclure, un dernier commentaire. Les exemples ne manquent pas, on peut en trouver autant que l'on veut. Considérons l'idée que Saddam Hussein était un monstre sur le point de conquérir le monde, comme le veut une opinion largement répandue aux États-Unis, et pour cause. Cette idée a été martelée dans la tête des gens : « Saddam Hussein est sur le point de s'emparer de tout. Nous devons l'arrêter maintenant. » Mais comment est-il devenu si puissant ? L'Irak est un petit pays du tiers monde sans infrastructure industrielle. Pendant huit ans, l'Irak s'est battu contre l'Iran, un Iran postrévolutionnaire qui avait décimé son corps d'officiers et presque toute son armée. Au cours de cette guerre, l'Irak a reçu de l'aide : de l'Union soviétique, des États-Unis, de l'Europe, des pays arabes les plus importants et des pays arabes producteurs de pétrole. Malgré tout, l'Irak n'a pu vaincre l'Iran. Mais soudain, le voilà en mesure de conquérir le monde! S'est-il trouvé quelqu'un pour s'en étonner? La vérité, c'est qu'il s'agit d'un pays du tiers monde doté d'une armée de paysans. On reconnaît maintenant qu'on a laissé circuler une énorme quantité de fausses informations au sujet des fortifications, des armes chimiques, etc. Mais y a-t-il eu une seule personne pour émettre des doutes? Non, personne. C'est typique. Il est à remarquer que cela se passait exactement un an après le déroulement d'un scénario comparable contre Manuel Noriega au Panama. Ce dernier est un voyou de petite envergure si on le compare à l'ami de George Bush qu'était Sadddam Hussein, ou bien à ses autres amis qui sont à Pékin, ou encore à George Bush lui-même. En comparaison, Manuel Noriega est un voyou minable. Exécrable, mais pas du genre voyou de grande classe que nous aimons. Néanmoins, on a fait en sorte qu'il apparaisse plus grand que nature. À la tête des narcotrafiquants, il allait nous détruire. Il fallait agir vite et l'écraser, en tuant des centaines, peut-être des milliers de personnes, et en restaurant au pouvoir une oligarchie minuscule constituée de Blancs, qui représente environ 8 pour cent de la population, et en installant des officiers américains à tous les postes de commande du système politique. Il était nécessaire d'agir de la sorte. Il fallait nous défendre, faute de quoi ce monstre allait nous détruire. Un an plus tard, Saddam Hussein s'apprêtait à faire la même chose. Quelqu'un a-t-il fait remarquer la similitude, montré ce qui se passait ou expliqué pourquoi? Il faudrait sérieusement fouiller pour trouver quelque chose de ce genre.

Il est important de remarquer que ce qui vient d'être décrit ne diffère en rien de ce qui s'est produit lorsque la Commission Creel a transformé une population pacifiste en folle furieuse qui, pour se défendre contre les «boches» qui arrachaient les bras des bébés belges, voulait détruire tout ce qui était allemand. Bien qu'elles soient plus raffinées, grâce à la télévision et aux grosses sommes investies, les techniques respectent la tradition.

Pour en revenir à mes remarques préliminaires, je crois que le problème qui se pose ne met pas simplement en cause la désinformation et la guerre du Golfe. L'enjeu est bien plus important. Il s'agit de savoir si nous voulons vivre dans une société libre ou bien dans ce qui est ni plus ni moins qu'une forme de totalitarisme, un totalitarisme dans lequel le troupeau dérouté est à dessein dévié de sa route et erre, terrifié, en hurlant des slogans patriotiques, en craignant pour sa vie et en encensant le chef qui l'a sauvé de la destruction, pendant que les gens instruits obéissent au doigt et à l'œil, scandent les slogans qu'il faut scander et que notre société se détériore. Nous sommes en train de devenir un État mercenaire qui fait le gendarme en espérant que d'autres vont le payer pour écraser le monde. Tels sont les choix possibles, telle est l'alternative devant laquelle nous sommes placés. La solution de ce problème repose principalement entre les mains de gens comme *vous* et *moi*.

DEUXIÈME PARTIE

Robert McChesney

Les géants des médias, une menace pour la démocratie

Introduction

UNE DÉMOCRATIE est une organisation politique
autonome dans laquelle l'ensemble des citoyens
exerce la souveraineté. Pour bien fonctionner, ce
régime doit répondre à trois critères essentiels. Pre-
mièrement, il importe que la société ne présente
pas de disparités marquées dans la répartition de la
richesse et de la propriété, car celles-ci affaiblissent
la capacité des citoyens d'agir sur un pied d'égalité.
Deuxièmement, il importe que les citoyens ressen-
tent un sentiment d'appartenance à leur communauté et soient conscients que le bien-être de chacun dépend étroitement du bien-être de tous. Ce
sentiment donne à la culture politique démocratique une solidité qui lui ferait défaut si chacun ne
cherchait à promouvoir que ses intérêts personnels,
même quand ils nuisent à l'ensemble de la communauté. Troisièmement, la démocratie requiert l'existence d'un système de communications efficace,

aux ramifications étendues, qui informe et mobilise l'ensemble des citoyens et les amène à participer réellement à la vie politique. Le rôle de ce système revêt une importance particulière à mesure que les sociétés croissent et deviennent plus complexes, bien qu'il ait toujours été nécessaire dans toutes les sociétés qui prétendent au gouvernement par le peuple. Alors que, par définition, les sociétés démocratiques ont l'obligation de respecter les libertés individuelles, celles-ci ne peuvent s'exercer que dans la mesure où les citoyens sont informés, engagés sur le plan politique et qu'ils participent réellement à la chose publique. Par ailleurs, sans cette garantie, le débat politique peut difficilement aborder les questions fondamentales du pouvoir et de la répartition des ressources, questions qu'il est nécessaire d'inscrire au cœur des débats dans une démocratie. Comme l'écrivait James Madison, « un gouvernement par le peuple où le peuple est privé de l'information ou des moyens de l'obtenir n'est rien d'autre que le prologue d'une farce ou d'une tragédie, peut-être bien des deux [1] ».

Les trois critères énumérés ci-haut sont indissociables. Dans les autres formes d'organisation politique, ceux qui sont au pouvoir contrôlent toujours le système de communications afin de maintenir leur domination. Dans les sociétés démocratiques, la structure des médias, leur contrôle et leur finan-

---

1. Citation tirée de Edward S. Herman, *Beyond Hypocrisy*, South End Press, Boston, 1992, p. 2.

cement sont d'une importance politique capitale. La maîtrise des moyens de communication fait partie intégrante du pouvoir politique et économique. Dans plusieurs pays, et c'est tout à leur honneur, les débats sur la politique en matière de médias ont toujours été, et sont encore, des questions politiques importantes. À l'opposé, aux États-Unis, on considère généralement que le contrôle qu'exercent les compagnies privées sur le système de communications est éminemment démocratique et bénéfique ; par conséquent, il ne fait l'objet d'aucun débat politique. Presque à l'unanimité, on y dénonce toute intervention gouvernementale dans le champ des moyens de communication comme une porte ouverte sur la tyrannie, quelle qu'en soit par ailleurs la légitimité. Ainsi, moins de deux douzaines de compagnies colossales, qui ne cherchent qu'à maximiser leurs profits et qui tirent une grande partie de leurs revenus de la publicité achetée surtout par d'autres compagnies gigantesques, contrôlent à elles seules la majorité des médias de masse. Mais l'étendue de cette concentration de la propriété et du contrôle passe généralement inaperçue aussi bien dans les médias que chez les intellectuels, et il semble bien que l'ensemble de la population s'inquiète peu de l'ampleur de cette mainmise.

À mon avis, le contrôle privé des médias et des moyens de communication n'est ni neutre ni foncièrement bénéfique. L'assise commerciale des médias a des effets négatifs sur la manière dont s'exerce

la vie politique en démocratie. Cette situation ap-
pauvrit la culture politique, ce qui conduit les citoyens à se dépolitiser, à devenir apathiques et à
faire des choix purement égoïstes. Il en résulte que
les intérêts financiers et commerciaux qui gouver-
nent actuellement la société américaine exercent
une influence démesurée sur le contenu de l'information. Bref, la nature du système américain des
médias sape les trois critères essentiels d'un véritable
gouvernement par le peuple. Pour les partisans de
la démocratie, il est donc urgent de réformer ce
système des médias. Ce ne sera pas une tâche facile,
étant donné la confusion extrême qui règne lorsqu'il s'agit de proposer une option démocratique
qui serait supérieure au système actuel. Les obstacles
politiques paraissent encore plus infranchissables,
car, de nos jours, ils se situent sur un terrain qui
dépasse les frontières locales et même nationales.
La politique des médias prend des proportions
mondiales à mesure que leur marché se mondialise
parce qu'elle est étroitement liée à la mondialisation
de l'économie. La tâche à entreprendre pour changer et démocratiser le système des médias est tita-
nesque, mais elle s'impose.

Les géants des médias sont également des adversaires d'une puissance peu commune pour les partisans de la réforme des médias. Non seulement ces
entreprises bénéficient-elles d'un pouvoir politique
et économique considérable, mais ce sont elles, évidemment, qui contrôlent les moyens de communi-

cation, ceux-là même qui sont chargés de fournir aux citoyens une bonne partie de l'information nécessaire pour les évaluer. De surcroît, plusieurs mythes puissants les protègent et lorsqu'ils sont combinés, ils rendent presque impossible d'aborder le sujet d'une réforme des médias dans la culture politique américaine. Parmi ces mythes, on trouve les suivants :

– Ce sont les Pères fondateurs des États-Unis et le Premier Amendement à la Constitution qui ont décrété la nécessité d'avoir un système de communications à but lucratif et financé par des annonceurs.

– L'existence d'un journalisme professionnel protège l'intérêt public contre le contrôle privé des médias.

– Internet et les nouvelles technologies numériques, avec leurs milliards de chaînes potentielles, éliminent toute raison de s'inquiéter de la mainmise des compagnies sur les médias.

– Le marché est la meilleure forme d'organisation possible pour un système de médias parce qu'il contraint les entreprises à « donner à la population ce qu'elle désire ».

– C'est un fait historique que le système des médias commerciaux a été choisi au cours de débats public, parce qu'il est le meilleur possible dans une démocratie ; par conséquent, la question est réglée à tout jamais.

— Les médias ne se plient pas aux intérêts des compagnies qui en sont propriétaires, mais au contraire, ils manifestent un penchant anti-milieu-des-affaires typiquement libéral ou de gauche.

La première tâche à entreprendre pour modifier ce système est d'inscrire la question de son contrôle à l'ordre du jour politique — terrain où elle doit précisément se situer dans un régime démocratique. Dans cet essai, je me propose de contribuer à cette démarche en faisant l'analyse des contours et de la trajectoire du système actuel des médias. En particulier, je tente de mettre en lumière les modes de propriété et de financement du système commercial des médias, et de montrer qu'ils menacent directement la capacité des Américains de posséder une culture démocratique viable en ce domaine. J'essaie d'abattre les mythes idéologiques qui soustraient à un examen public rigoureux la question du contrôle qu'exercent les compagnies sur nos médias ou, à tout le moins, de les décrire. Enfin, je consacre spécifiquement la conclusion à l'étude de ce qui est fait actuellement pour bâtir un système démocratique et de ce qui reste à faire.

CHAPITRE PREMIER

Le problème du journalisme

LES MÉDIAS PROPOSENT une pluralité de contenus qui inclut de nombreuses formes de divertissement et de journalisme. Même si le secteur du divertissement et de la culture offre à son public des commentaires sociaux et politiques essentiels ainsi que des informations indispensables, cette fonction n'en demeure pas moins d'abord et avant tout la responsabilité du journalisme. Une culture politique saine exige que, dans une certaine mesure, ces deux formes de communication aient un aspect politique, c'est-à-dire qu'elles soient ouvertes à la discussion et soumises à l'examen public. En l'absence de journalisme démocratique viable, l'art et le divertissement peuvent remédier à quelques manques, mais ils s'adapteront probablement à une culture dépolitisée ou répressive. En fait, la responsabilité qui incombe au journalisme de fournir l'information politique est accrue sur le marché moderne où les valeurs commerciales font obstacle à ce que le divertissement et la culture aient un contenu politique, si ce n'est dans une mesure tellement restreinte qu'elle en devient insignifiante.

Dans une démocratie, il est toujours difficile de gérer au mieux l'existence d'un journalisme démocratique assez souple et ouvert pour couvrir à la fois les questions d'intérêt public et l'«actualité». Dans la mesure où le journalisme traite de politique, il donne toujours naissance à des controverses. Ajoutons à cela qu'il ne peut pas se passer d'appuis et de financement institutionnels et qu'il reflète les choix conscients des rédacteurs en chef et des reporters, ainsi, il va sans dire, que de ceux qui les embauchent et qui les congédient. Bref, le journalisme ne peut jamais être complètement neutre. Or, la tâche devient extrêmement difficile quand on cherche à minimiser l'exigence de la «neutralité» pour que le journalisme reflète avec plus de précision tout l'éventail des opinions dans une société, particulièrement quand cette société n'est pas égalitaire. En tenant compte de cela et de la complexité inhérente aux sociétés modernes, il semble bien qu'il n'existe pas de «solution» unique au problème du journalisme.

Ces dernières années, divers travaux, dont ceux de Jurgen Habermas, ont ouvert la voie à la nais-

sance d'une théorie des médias démocratiques [1].
Selon Habermas, le facteur qui a déterminé de façon décisive l'avènement et le succès des révolutions
et des sociétés démocratiques au cours des XVIIIe et
XIXe siècles fut l'apparition — pour la première fois
dans l'Histoire moderne — d'un « espace public »
consacré au discours démocratique. Cet espace
public était un « lieu » indépendant à la fois du contrôle de l'État et du milieu des affaires. Il permet-
tait aux citoyens de communiquer, d'étudier les affaires publiques du moment et d'en débattre, sans
craindre les représailles immédiates des pouvoirs
politique et économique. Les médias existaient dans
cet espace public, mais ils n'en étaient qu'une des
composantes.

Bien que le modèle d'Habermas corresponde à
une vision idéalisée, la notion d'espace public fournit un cadre de référence utile aux partisans d'un
système démocratique des médias. Pour Habermas,
l'espace public perd sa capacité de nourrir la vie
démocratique lorsqu'il est pris en charge soit par
l'État, soit par le milieu des affaires, soit par une
quelconque association des deux. Il est évident
qu'aux États-Unis, comme nulle part ailleurs dans
le monde, les valeurs du milieu des affaires et du
commerce sont parvenues à dominer les médias.

---

1. Jurgen Habermas, *The Structural Transformation of the
   Public Sphere,* MIT Press, Cambridge, 1989. Traduction anglaise de l'œuvre originale parue en Allemagne
   en 1962.

Pour réaffirmer la notion d'«espace public» pour les médias, il faudrait pour le moins s'engager radicalement en faveur d'un système dont le but ne soit ni lucratif ni commercial, et peut-être bien davantage. Mais le cadre de référence de l'espace public n'est qu'une ébauche de solution possible; on peut probablement en envisager plusieurs autres qui seraient réalisables. L'objectif immédiat pour les partisans du changement dans le secteur des médias est d'inscrire à l'ordre du jour des débats politiques cette question trop longtemps négligée et d'encourager la participation de la population aux débats.

Même si la notion d'«espace public» est fondée sur une interprétation idéalisée de l'Histoire des médias en Occident, elle n'en contredit pas moins le mythe prédominant d'une «presse libre», objet d'un culte largement répandu aux États-Unis. En fait, le pouvoir des compagnies repose pour beaucoup sur le mythe que, d'une part, seul un système commercial de nature capitaliste qui produit un journalisme «impartial» peut être vraiment démocratique et que, d'autre part, c'est exactement le but que poursuivaient les Pères fondateurs de notre pays quand ils ont rédigé le Premier Amendement à la Constitution américaine. En réalité, l'Histoire des États-Unis révèle une culture des médias qui n'a aucun rapport avec ce mythe. Pour autant que l'on puisse en juger, il semble plutôt que les Pères fondateurs songeaient à une presse capable de sti-

muler l'engagement populaire avant toute chose
— une presse à l'image de l'« assemblée de la commune », selon l'historien des médias, John Nerone.
Au cours des 50 ou 60 premières années de la Répu-
blique, le journalisme s'est éloigné de cet idéal et il
est devenu extrêmement partisan. Ce n'était pas
une entreprise particulièrement rentable et souvent,
elle se finançait, directement ou indirectement,
grâce à des contrats d'impression que lui accor-
daient le gouvernement et les partis ou les factions
politiques. La publicité jouait un rôle insignifiant
et n'existait pas au sens moderne du terme. La presse
était étroitement associée à la culture politique du
moment. Dans une même ville, on pouvait trouver
plusieurs journaux qui donnaient des interpréta-
tions fort différentes des affaires publiques. Certains
penseurs contemporains qualifient cette époque de
« période obscurantiste du journalisme américain »,
en se fondant sur l'hypothèse que ces journaux
d'opinion jouaient un rôle de propagande, à la manière de la presse stalinienne ou nazie. Le journalisme, sous Staline et Hitler, prohibait absolument
toute expression d'opposition au régime. Dans un
système démocratique, où la Constitution protège
la liberté d'expression, une presse d'opinion diver-
sifiée tend à produire des citoyens extrêmement
avertis et engagés. C'est pourquoi l'époque d'An-
drew Jackson, la dernière grande époque du journalisme d'opinion, (les années 1820 et 1830), est
parfois considérée comme l'« âge d'or de la politique

américaine », à cause du degré considérable d'intérêt et de participation de la population à la vie politique.

Tout cela a commencé à changer vers 1840, quand des entrepreneurs se sont aperçus qu'ils pourraient faire beaucoup d'argent en publiant des journaux. À la fin de la guerre de Sécession, les journaux d'opinion avaient été remplacés par des journaux commerciaux dont le dynamisme et la vitalité portaient fruits. « Les États-Unis sont la terre de prédilection des journaux; tout le monde en lit », faisait remarquer un écrivain britannique en 1871. « Aucun parti politique, aucune secte religieuse, aucune école de théologie, aucune association, qu'elle soit littéraire ou de bienfaisance, ne peut se passer de son organe particulier, la presse est universelle[2]. » Pendant toute la fin du XIXe siècle, l'industrie de la presse fut extrêmement concurrentielle. Les journaux desservaient tous les marchés importants. Les tirages ont atteint des proportions énormes et les journaux ont pénétré dans toutes les couches de la société. Selon les critères actuels, la presse était encore partisane, mais sa raison d'être était désormais le profit plutôt que l'influence politique, ce qui a contribué à changer radicalement la manière de penser des rédacteurs en chef, des édi-

---

2. Cité par Frank Luther Mott, *American Journalism,* Macmillan, New York, 1941, p. 405.

teurs et, finalement, de l'ensemble de la population à propos du journalisme[3].

Deux développements fondamentaux se sont précisés dès le début du XXe siècle, juste au moment où les compagnies commençaient à dominer l'économie politique. En premier lieu, les journaux se sont faits de plus en plus épais et leur marché s'est concentré de plus en plus. De nos jours, le plus important des quotidiens dans un secteur donné du marché peut toucher entre 40 et 60 pour cent de la population, alors qu'en 1875, il n'en touchait que 10 pour cent. En second lieu, avec l'essor des compagnies capitalistes, la publicité est devenue la principale source de revenus de la presse. Cela a eu d'énormes conséquences. La plupart des annonceurs recherchaient les journaux qui avaient le plus grand tirage, ce qui a eu pour effet de rejeter la majorité des autres journaux en dehors du secteur des affaires. Dans de telles conditions, le journalisme d'opinion ne rapportait rien. Souhaitant les plus gros tirages possibles pour appâter les annonceurs, les rédacteurs essayaient de n'offusquer personne afin d'attirer tous les lecteurs potentiels. En outre, comme le contrôle des journaux dans chaque marché s'est concentré entre les mains soit d'un seul, soit de deux ou de trois propriétaires et qu'à l'échelon national, la propriété a pris la forme de chaînes de journaux, le journalisme a fini par

---

3. *Voir* Gerald J. Baldasty, *The Commercialization of the News,* University of Wisconsin Press, Madison, 1992.

refléter les intérêts partisans des propriétaires et des annonceurs, plutôt que les intérêts variés qui existent au sein des communautés.

C'est dans ce contexte que sont apparues les écoles de journalisme. Alors qu'elles n'existaient pas encore au tout début du siècle, dès 1920, elles assuraient la formation d'un fort pourcentage des reporters. Le principe sur lequel reposait le journalisme professionnel était que l'information ne devrait pas plus être influencée par l'ordre du jour politique des propriétaires et des annonceurs que par l'opinion des éditeurs ou des journalistes eux-mêmes. Dans ce qu'elle a de plus fruste, cette doctrine est désignée sous le nom d'«objectivité». Elle postule que les journalistes diplômés ont acquis un système «neutre» de valeurs, de telle sorte que les comptes rendus des affaires publiques sont tous pareils, quel que soit le reporter ou le moyen d'information. La mission du journalisme professionnel consistait donc — du moins superficiellement — à faire passer les médias capitalistes, financés par la publicité, pour une source d'information objective aux yeux de nombreux citoyens.

Le journalisme professionnel qui venait de naître était d'une tout autre mouture que son ancêtre, le journalisme d'opinion. Il n'était certes pas neutre. D'une part, afin de satisfaire les propriétaires des médias et les annonceurs, dont l'hostilité à l'égard de l'avènement du journalisme professionnel se serait manifestée bien davantage s'il en avait été autrement, la nécessité que le contenu satisfasse aux besoins commerciaux est devenue une partie implicite de l'idéologie de la profession. D'autre part, les activités des compagnies et des riches ne subissaient pas un examen aussi rigoureux que les pratiques gouvernementales. La déontologie de la profession considérait que les affaires auxquelles se consacraient les puissants acteurs du monde économique ne devaient pas être soumises à un examen aussi rigoureux. De cette façon, le journalisme « objectif » a intégré avec succès l'idée que le capitalisme d'entreprise est l'ordre naturel en démocratie. Comme l'a dit Ben Bagdikian, les journalistes ont fermé les yeux sur les concessions qu'ils font constamment à l'autorité[4].

De surcroît, en poursuivant sa quête d'objectivité, le journalisme professionnel a perdu toute vitalité. Pour éviter les controverses relatives au choix entre les informations à mettre en lumière et celles qu'il vaut mieux ne pas souligner, ce journalisme en est arrivé à accepter comme légitimes les sources officielles d'information (le gouvernement et les grandes compagnies). Il s'est également mis à la recherche d'« événements accrocheurs » pour justifier la sélection des nouvelles à publier. Cela a orienté l'information en fonction des pouvoirs établis, puisque toute déclaration faite par des

---

4. Ben H. Bagdikian, *The Media Monopoly*, 4ᵉ édition, Beacon Press, Boston, 1992.

représentants du gouvernement ou par des personnalités du milieu des affaires était une nouvelle inté-
ressante par définition. Ce choix ne faisait courir
aucun risque aux journalistes et offrait aux éditeurs
un moyen très économique de combler l'absence
de nouvelles. Rapidement, cette pratique a été ex-
ploitée par les politiciens et les personnalités publiques qui ont su très vite mettre à profit leur rôle de
pourvoyeurs légitimes d'information, ce qui leur a
permis de manipuler avec soin leur couverture dans
les médias. Mais le fait le plus important, c'est que
la naissance du journalisme professionnel a été sui-
vie de celle de l'industrie des relations publiques,
dont la fonction essentielle est de susciter une
couverture favorable à ses clients dans la presse sans
que la population n'en ait conscience. De nombreuses recherches montrent que, de nos jours, les
communiqués de presse et les informations qui
trouvent leur origine dans l'industrie des relations
publiques représentent entre 40 et 70 pour cent
de l'ensemble de l'information diffusée par les
médias [5].

Le journalisme professionnel n'est évidemment
pas le seul responsable de la dépolitisation de la société américaine. Dans ce phénomène historique
complexe et de grande ampleur, de nombreux
facteurs interviennent. Il est important de souligner

---

5. *Voir à ce sujet* Alex Carey, *Taking the Risk Out of Democracy,* University of Illinois Press, Champaign, 1996.

qu'au fur et à mesure que l'influence du marché s'accroît et que le mercantilisme sape les organisations traditionnelles à but non lucratif et les remplace dans le rôle qu'elles jouaient pour tisser des liens entre les citoyens et les communautés, l'«espace public» dans lequel les individus deviennent des citoyens se réduit et se corrompt[6]. De surcroît, pendant tout le XXe siècle, l'essor du capitalisme dominé par les compagnies a entraîné un tel changement que les décisions politiques fondamentales concernant la répartition des ressources et les affaires publiques sont prises par une élite, en dehors du champ public, et que la culture politique se concentre sur des problèmes secondaires ou symboliques[7]. Le choix des débats entre les principaux partis politiques aux États-Unis ressemble de près à celui du milieu des affaires. Dans ce contexte, le désintérêt pour la politique que manifestent de nombreux citoyens est parfaitement logique, notamment chez les déshérités, dont le sort ne semble affecté que de manière fort marginale par les changements qui s'opèrent dans la sphère du pouvoir. Des conservateurs adeptes du «libre marché», comme Milton Friedman, n'éprouvent aucune culpabilité devant la tournure des événements. Selon eux, le marché (c'est-à-dire le milieu des affaires)

---

6. *Voir* C. Wright Mills, *The Power Elite,* Oxford University Press, New York, 1956.

7. C. B. Macpherson, *The Life and Times of Liberal Democracy,* Oxford University Press, New York, 1977.

doit fixer les règles et le rôle de la politique doit logiquement se limiter à trouver les meilleurs moyens de protéger la propriété privée. Il est inutile que les citoyens s'intéressent de trop près à la vie publique ou y consacrent trop d'énergie, sauf lorsqu'il s'agit de condamner ceux qui critiquent le monde des affaires [8]. Comme l'a fait remarquer Noam Chomsky, quand, au cours des années 1960 et 1970, des citoyens jusque-là apathiques se sont intéressés à la politique et ont exigé d'être entendus sur des questions fondamentales, l'élite du monde des affaires et certains intellectuels ont qualifié ce phénomène de «crise de la démocratie [9]», sans même en percevoir l'ironie.

Pourtant, aucune institution n'est plus importante pour l'espace public que les médias et c'est pourquoi le journalisme professionnel a contribué dans une large mesure à la dépolitisation de la société américaine. Lorsque les médias définissent l'information comme étant fondée sur des événements spécifiques ou sur les activités des sources officielles, ils négligent de rendre compte des pro-

---

8. Milton Friedman, *Capitalism and Freedom,* University of Chicago Press, Chicago, 1962, ch. 2 ; *voir aussi* David Kelley et Roger Downey, «Liberalism and Free Speech», *in* Judith Lichtenberg (dir.), *Democracy and the Mass Media,* Cambridge University Press, Cambridge, 1990, p. 66–101.

9. *Voir ci-dessus* Noam Chomsky, *Les Exploits de la propagande,* p. 42. (NDT)

blèmes sociaux qui dominent de façon chronique la société. En aseptisant l'information et en la privant, en apparence, de tout contenu idéologique, les médias ont rendu les affaires publiques extrêmement incompréhensibles, déroutantes et ennuyeuses. La fièvre que faisait naître autrefois la politique ne se trouve plus désormais que dans les reportages sur le crime, le sport et les gens célèbres. Cette dépolitisation s'est manifestée aux États-Unis par un déclin général de la connaissance des affaires politiques, par une baisse de la participation aux élections et par l'appauvrissement de la portée du débat politique.

Il est vrai que le professionnalisme a apporté un certain degré d'autonomie dans les salles de rédaction et a permis aux journalistes d'enquêter avec beaucoup plus de liberté qu'ils n'auraient pu le faire au XIXᵉ siècle. Pour certains sujets qui réussissent à rencontrer les critères de sélection de la profession, le journalisme commercial a été et est toujours excellent. En outre, tout au long du XXᵉ siècle — et c'est toujours le cas de nos jours —, il y a eu de nombreux journalistes américains remarquables, sincèrement attachés à la défense des aspects démocratiques et progressistes qui font toujours partie de l'idéologie du journalisme professionnel. Malgré cela, les facteurs institutionnels les plus forts ont pesé lourdement en faveur de la mise en place d'un journalisme conservateur, hors contexte et dépolitisé. Au début des années 1980, de nombreux

intellectuels, parmi lesquels figurent Gaye Tuchman, Herbert Gans, Mark Fishman et W. Lance
Bennett[10] ont remarqué ces caractéristiques et les
ont enregistrées au jour le jour. Edward S. Herman
et Noam Chomsky ont montré comment, quand
il s'agit des questions politiques fondamentales,
les journalistes ont tendance à épouser les intérêts
de l'élite et à éviter de contrarier les pouvoirs établis[11]. L'accusation la plus accablante que l'on
puisse adresser aux médias d'information émane
de certains travaux qui indiquent que plus une personne consomme d'informations diffusées par les
médias commerciaux, moins elle est capable de
comprendre les affaires publiques ou politiques[12].

10. Gaye Tuchman, *Making News,* Basic Books, New York,
    1978; Mark Fishman, *Manufacturing the News,* Uni-
    versity of Texas Press, Austin, 1980; Herbert Gans,
    Deciding What's News, Pantheon, New York, 1988.

11. Edward S. Herman et Noam Chomsky, *Manufacturing
    Consent: The Political Economy of the Mass Media,* Pan-
    theon, New York, 1988.

12. *Voir à ce sujet* W. Lance Bennett, *News: The Politics of
    Illusion,* Longman, New York, 1983; Robert Entman,
    Democracy Without Citizens, Oxford University Press,
    New York, 1989; Michael Morgan, Justin Lewis et Sut
    Jhally, « More Viewing, Less Knowing », *in* H. Mow-
    lana, G. Gerbner et H. I. Schiller (dir.), *Triumph of the
    Image,* Westview Press, Boulder, 1992.

CHAPITRE II

La consolidation
de l'oligopole des médias

LE JOURNALISME qu'a vu naître le XXe siècle répondait bien aux besoins des grandes compagnies et des annonceurs qui profitaient du *statu quo*. Pourtant, le système était loin d'être stable. D'une part, l'apparition de nouvelles technologies telles que la radio et la télévision a modifié de nombreux aspects du journalisme et des médias. D'autre part, inexorablement, le marché s'est organisé en un oligopole constitué d'un petit groupe de compagnies qui dominent tous les secteurs de l'industrie des États-Unis, de la radio, la télévision, la musique et le cinéma jusqu'aux journaux, aux magazines et à l'édition de livres. Au début des années 1980, dans son ouvrage, *Media Monopoly*, Ben Bagdikian arrivait à la conclusion que moins de 50 compagnies contrôlaient tout le système des médias aux États-Unis et qu'en conséquence, le journalisme perdait de plus en plus la capacité d'analyser le rôle et la nature du pouvoir des compagnies dans l'économie politique du pays. Il signalait que la portée des débats journalistiques sur le capitalisme et le pouvoir des compagnies était à peu près du même ordre que celle des débats dans les médias soviétiques sur la nature du communisme et des activités du Parti communiste. Pendant la décennie qui a suivi la parution de *Media Monopoly,* le marché a continué à se consolider à un rythme encore plus rapide, tandis que l'application des règlements sur la propriété de presse se relâchait. En 1992, année de la parution de la quatrième édition de son livre, Ben Bagdikian estimait que les fusions et les acquisitions avaient réduit le nombre des compagnies majeures à deux douzaines.

Depuis 1992, une vague sans précédent de fusions et d'acquisitions a eu lieu chez les géants des médias, soulignée par l'achat de l'empire Turner par Time Warner et celui de Cap Cities/ABC (American Broadcasting Corporation) par Disney. Moins de 10 conglomérats colossaux contrôlent actuellement le marché des médias aux États-Unis. Les cinq compagnies les plus importantes, avec des ventes annuelles qui atteignent 10 à 25 milliards de dollars, sont News Corporation, Time Warner, Disney, Viacom et TCI (Time Communication Inc.). Ces entreprises sont de gros producteurs de divertissement et de logiciels de communication et possèdent des réseaux de distribution comprenant des réseaux de télévision, des systèmes de câblodistribution et des magasins de vente au détail. C'est ainsi que Time Warner est propriétaire, entre autres, de studios d'enregistrement de disques, de studios de production télévisée et cinématographique, de plusieurs chaînes de télévision câblées, de systèmes de diffusion par câble, de parcs d'amusement, du réseau de télévision WB (Warner Bros.), de maisons d'édition de livres et de magazines, de boutiques de vente au détail et de salles de cinéma. Dans presque toutes les catégories citées, Time Warner se classe parmi les cinq premières compagnies au monde. Les trois autres géants sont NBC (propriété de General Electric), Universal (à l'origine MCA, propriété de Seagram) et Sony. Tous les trois sont des conglomérats qui ont aussi des intérêts extérieurs au domaine des médias, comme Sony et General Electric qui sont de gigantesques compagnies d'électronique, dont le chiffre d'affaires représente au moins le double de celui de toutes les autres compagnies qui œuvrent dans les médias.

Après ce premier groupe viennent environ une douzaine d'autres compagnies très importantes — la plupart du temps des conglomérats — dont les ventes annuelles se chiffrent généralement entre 2 milliards et 5 milliards de dollars[1]. Parmi elles figurent Westinghouse, propriétaire de CBS (Columbia Broadcasting System), Gannett, Cox Enterprises, The New York Times, Advance Communications,

---

1. Diane Mermigas, « Still to come : smaller media alliances », *Electronic Media,* 5 février 1996, p. 38.

Comcast, Hearst, Tribune, The Washington Post, Knight-Ridder, Times-Mirror, Direct TV, propriété de General Motors et AT&T (American Telegraph and Telephone), Dow Jones, Reader's Digest et McGraw-Hill. Avant l'an 2000, il est probable que certaines de ces entreprises concluront des accords pour s'agrandir ou, au contraire, seront achetées par d'autres compagnies.

Les événements les plus marquants des années 1990 ont été l'émergence du marché mondial des médias commerciaux qui utilisent de nouvelles technologies et la tendance générale à la déréglementation. La structure oligopolistique du marché, qui englobe toute la gamme des médias, est en train de se cristalliser et il devient extrêmement difficile de s'y tailler une place. Les marchés nationaux existent toujours et sans eux, on ne pourrait comprendre aucune situation nationale spécifique, mais leur importance devient secondaire. Les compagnies américaines que je viens de mentionner dominent le marché mondial des médias, en conjonction avec une poignée de compagnies européennes et quelques-unes en Amérique latine et en Asie. Au dire de tous, cette situation va durer très longtemps[2]. Des compagnies telles que Disney et Time Warner ont vu le pourcentage de leurs revenus de l'étranger passer de 15 pour cent en 1990 à 30 pour cent en 1996. Pendant les dix prochaines années,

---

2. Doug Wilson, *Strategies of the Media Giants,* Pearson Professional Ltd., Londres, 1996, p. 5.

ces deux compagnies prévoient que la majeure partie de leurs revenus proviendra de l'extérieur des États-Unis. C'est la croissance de la publicité commerciale à travers le monde, notamment celle des multinationales, qui stimule le plus le développement du marché mondial des médias. Les grandes compagnies ont tendance à mener leurs campagnes publicitaires sur des marchés oligopolistiques. Avec une économie mondiale qui devient de plus en plus globale, pour les quelques centaines de compagnies qui la contrôlent, la publicité en est venue à jouer un rôle primordial. De ce point de vue, il est aisé de comprendre aussi pourquoi des liens si étroits unissent les médias des États-Unis et du monde à l'économie de marché[3].

Les entreprises de communication ont tout intérêt à fusionner, à acheter et à se mondialiser, car les effets combinés de la mondialisation et de la taille colossale de ces entreprises et de leurs conglomérats sont potentiellement porteurs de profits considérables. Quand la maison Disney réalise un film, par exemple, elle peut aussi s'assurer de sa diffusion sur le réseau de télévision à péage et sur le réseau commercial; elle a la possibilité de produire et de vendre la bande sonore du film, elle peut aussi réaliser un feuilleton télévisé à partir du film, exploiter des parcs d'amusement à thèmes, produire des

---

3. *Voir* Edward S. Herman et Robert W. McChesney, *The Global Media: The New Missionaries of Global Capitalism*, Cassell, Londres, 1997.

cédéroms, publier des livres et des bandes dessinées, et vendre des articles Disney dans ses magasins. En outre, grâce aux médias que possède la compagnie, elle peut continuellement faire la promotion du film et de tout ce qui lui est relié. Dans ces conditions, même des films qui font peu d'entrées en salle peuvent être une source fructueuse de revenus. Pour *Le Bossu de Notre-Dame,* en 1996, la recette en salle en Amérique du Nord a été de 99 millions de dollars, un montant décevant. Cependant, selon le magazine *Adweek,* il est à prévoir que le film rapportera 500 millions de dollars de profits (et pas simplement de revenus) si on tient compte des sources de revenu connexes. Les recettes et les profits des films qui remportent un gros succès peuvent atteindre des sommes colossales. En 1994, *Le Roi lion* a rapporté plusieurs centaines de millions de dollars en salle, sans compter les profits de Disney en revenus connexes qui dépassent un milliard de dollars[4]. Les conglomérats peuvent en outre utiliser, et ils ne s'en privent pas, les multiples potentiels de leur avoir dans les compagnies de médias afin de promouvoir les autres sociétés qu'iles contrôlent. Cette pratique est de règle. Au total, les profits réalisés par l'ensemble du conglomérat peuvent être beaucoup plus importants que le potentiel de chacune de ses parties. Des compagnies qui n'ont

---

4. Maria Matzer, « Contented Kingdoms », *Superbrands '97,* supplément de *Adweek,* 7 octobre 1996, p. 30 et 33.

pas ce potentiel d'intérêts croisés pour la vente et la promotion ne sont pas du tout en mesure d'être concurrentielles sur le marché mondial.

Il est très fréquent que les géants des médias aient recours à la coentreprise et partagent la propriété avec une ou plusieurs autres firmes dans des projets spécifiques. Ce choix est séduisant, car il diminue les investissements de capital et les risques encourus par une entreprise qui agit seule, tout en permettant d'étendre les ressources dont elle dispose. Dans le secteur des médias, chacun des huit géants américains des médias participe en moyenne à des coentreprises avec quatre des sept autres géants. Chacun est également encore plus souvent en coentreprise avec des firmes plus modestes. En plus de ce mode de propriété, il existe également un système de propriétés croisées de ces compagnies. Seagram, par exemple, propriétaire de MCA, détient aussi 15 pour cent des actions de Time Warner et également des actions dans d'autres médias[5]. TCI est un détenteur majeur des actions de Time Warner et a des intérêts dans plusieurs autres médias[6]. Les fonds mutuels de Capital Group Companies, évalués à 250 milliards de dollars, sont l'un

---

5. Bernard Simon, « Seagram to hold on to 15 % stake in Time Warner », *The Financial Times,* 1er juin 1995, p. 18.

6. Raymond Snoddy, « Master of bits at home in the hub », *The Financial Times,* 28 mai 1996, p. 17.

des plus grands détenteurs d'actions de TCI, de News Corporation, de Seagram, de Time Warner, de Viacom, de Disney, de Westinghouse et de plusieurs autres compagnies de médias plus modestes[7].

Même sans coentreprise et sans propriété croisée, on peut à peine qualifier de concurrence, au sens économique du terme, la lutte sur le marché oligopolistique des médias. Les marchés oligopolistiques actuels sont dominés par une poignée de firmes qui, bien qu'étant en concurrence féroce à l'intérieur du système, se font la lutte sur une base où on ne touche pas aux prix et s'entendent pour rendre leur marché inaccessible à d'autres. Les « synergies » des fusions récentes se fondent sur le monopole et le renforcent. C'est ainsi par exemple que, depuis 60 ans, aucun nouveau studio n'est parvenu à joindre les rangs de l'oligopole d'Hollywood[8]. Rupert Murdoch, le patron de News Corporation, définit clairement le but logique des compagnies dans un oligopole quand il se demande comment agir sur le marché des médias : « Nous pouvons nous unir maintenant ou nous pouvons nous entretuer d'abord et nous unir ensuite[9] ».

7. Catherine E. Celebrezze, « The Man Who Bought the Media », *Extra!*, vol. 9, n° 2, mars–avril 1996, p. 21–22.

8. Ronald Grover, « Plenty of Dreams, Not Enough Work ? », *Business Week,* 22 juillet 1996, p. 65.

9. Paula Dwyer, « Can Rupert Conquer Europe ? », *Business Week,* 25 mars 1996, p. 169.

Lorsqu'on dresse la carte des coentreprises sur le marché mondial des médias, on constate que même le degré de concurrence qu'on prête au marché oligopolistique est très certainement exagéré. «Personne ne peut vraiment se permettre de s'en prendre à ses concurrents, déclare John Malone, le président de TCI, parce qu'ils sont des partenaires dans un domaine et des concurrents dans un autre[10].» Le *Wall Street Journal* constate que les concurrents dans le domaine des médias «finissent par être tour à tour des adversaires, des clients de choix et des partenaires indispensables[11]». Dans cette optique, les États-Unis et le marché mondial des médias et des communications montrent non seulement les tendances d'un oligopole, mais encore des traits qui sont ceux d'un cartel, ou du moins ceux d'un «club privé».

---

10. Raymond Snoddy, *op. cit.,* p. 17.

11. Elizabeth Jensen et Eben Shapiro, «Time Warner's Fight With News Corp. Belies Mutual Dependence», *The Wall Street Journal,* 28 octobre 1996, p. A1.

CHAPITRE III

La culture selon les géants des médias

PARMI L'ÉVENTAIL des produits que proposent les géants des médias, certains sont excellents et d'autres sont bons, notamment ceux qui relèvent du divertissement dans le secteur lucratif. Cependant, si l'on tient compte de l'ensemble exceptionnel des ressources dont disposent ces compagnies, la qualité est déplorable. En fin de compte, la réalité est celle d'un système qui ne songe qu'à l'aspect commercial, ce qui impose d'étroites limites à notre champ culturel et politique. Comme l'affirme George Gerbner, les géants des médias « n'ont rien à dire, mais beaucoup à vendre ». Ils inondent la population de publicité et de mercantilisme, que cela lui plaise ou non. À cela s'ajoute le fait qu'une poignée de firmes colossales produira désormais le divertissement et le journalisme pour le monde entier. Or, invariablement, leur position politique sur les problèmes fondamentaux de notre époque est celle du parti pris du profit et de la mondialisation du marché. Quel que soit le point de vue que l'on adopte, les conséquences pour la démocratie sont néfastes.

Il suffit de prendre le cas des États-Unis pour voir quelle place occupe le journalisme dans les opérations des géants des médias. Dès la fin des années 1980, le journalisme commençait à s'étioler aux États-Unis. Dans le nouveau monde du capitalisme des conglomérats, la raison d'être de toute la production des médias est d'influer directement et positivement sur le revenu de l'entreprise. En outre, la presse, la radio et la télévision ont de plus en plus souvent recours aux sondages pour repérer les informations susceptibles de plaire aux bien nantis qui forment le riche marché convoité par les annonceurs [1]. Cet élément à lui seul remet sérieusement en cause l'un des dogmes de la déontologie journalistique, à savoir que l'information doit se faire en fonction de l'intérêt public, et non pas de l'intérêt particulier des propriétaires ou des annonceurs. Cela signifie aussi que, selon le média, les compagnies ont écarté de 15 à 50 pour cent de la population américaine. Parce que leur survie dépend de plus en plus des revenus publicitaires, les journaux, par exemple, sont devenus des forces

---

1. Alison Carper, « Paint-By-Numbers Journalism : How Reader Surveys and Focus Groups Subvert a Democratic Press », *Discussion Paper D-19,* Joan Shorenstein Center on the Press, Politics and Public Policy, avril 1995.

antidémocratiques dans la société. Lorsque le principal apport financier provenait encore des exemplaires vendus, les journaux courtisaient chaque citoyen susceptible d'en acheter un, lequel, bien souvent, ne coûtait qu'une bagatelle. Mais, à présent, ils comptent sur les annonceurs, dont la seule préoccupation est d'atteindre le marché ciblé. Par conséquent, les dirigeants des médias courtisent énergiquement les riches et se désintéressent du reste de la population. En fait, le meilleur journalisme de nos jours est celui qui s'adresse au milieu des affaires dans le *Wall Street Journal*, *Business Week* et d'autres journaux du même genre. Nous avons un journalisme de qualité qui s'adresse aux riches et répond à leurs besoins et à leurs intérêts, et de la camelote pour les masses. Comme l'a fait remarquer Walter Cronkite, les intenses pressions commerciales ont transformé les journaux télévisés en « un tas de futilités, de mièvreries et de foutaises[2] ».

Le journalisme efficace coûte cher et les dirigeants des compagnies se rendent compte que la meilleure façon d'étoffer leurs profits est de congédier leurs éditorialistes et leurs reporters et de faire du remplissage à partir d'une matière bon marché, sans but et sans contenu, que fournissent des agences spécialisées dans la vente par abonnement d'articles, de reportages, etc. La conséquence a été

---

2. Dorothy Rabinowitz, « Cronkite Returns to Airwaves », *The Wall Street Journal*, 9 décembre 1996, p. A12.

la création d'une démarcation très nette entre les journalistes, qui se traduit par des salaires et des bénéfices élevés pour les journalistes célèbres qui ont un statut privilégié dans l'élite des médias d'information, alors que les conditions se sont détériorées pour le reste des travailleurs de la presse. Les licenciements qui les frappent se sont multipliés ces 10 dernières années. Une recherche montre une diminution importante du nombre de correspondants de presse à Washington [3], par exemple. Du fait de l'augmentation du nombre des chômeurs, les salaires des journalistes qui ne font pas partie de l'élite ont chuté et les salaires des débutants sont tellement bas que ceux-ci ont du mal à joindre les deux bouts. Ces changements ont contribué à l'effondrement du moral des journalistes américains qui ne croient plus en leur profession. Au cours des quelques dernières années, d'importants rédacteurs en chef et journalistes ont quitté la profession, dégoûtés par ces nouvelles tendances [4]. James Squires, l'ancien rédacteur en chef du *Chicago Tribune,* soutient que la prise de contrôle des médias

---

3. Penn Kimball, *Downsizing the News : Network Cutbacks in the Nation's Capital,* Woodrow Wilson Center Press, Washington, D.C., 1994.

4. *Voir par exemple* Mort Rosemblum, *Who Stole the News ?,* John Wiley & Sons, New York, 1993 ; Doug Underwood, *When MBAs Rule the Newsroom : How the Marketers and Managers are Reshaping Today's Media,* Columbia University Press, New York, 1993 ; John

par les compagnies a entraîné la «mort du journalisme[5]». Mise à part la recherche du profit, même les commentateurs du milieu des affaires sont frappés par la façon dont les conglomérats des médias sont prêts à censurer et à déformer le journalisme pour qu'il serve leurs propres intérêts. Cette évolution est particulièrement décelable dans la censure absolue de toute critique portant sur les opérations des géants des médias et des télécommunications, à l'exception de ce que l'on peut lire dans la presse des affaires et qui s'adresse aux investisseurs[6].

Ce qui est tragique ou absurde, c'est que la majorité de la population qui croit toujours à l'existence d'une «presse libre» considère encore le gouvernement comme le seul ennemi possible de cette liberté. Il n'est pas étonnant que les géants des médias ont fait et font toujours la promotion énergique de cette conception de la liberté de la presse, bien que cela demeure un fait rarement remarqué. Imaginons ce qui se produirait si le gouvernement

McManus, *Market-Driven Journalism: Let the Citizen Beware!,* Sage, Thousand Oaks, 1994; Dennis Mazzocco, *Networks of Power: Corporate TV's Threat to Democracy,* South End Press, Boston, 1994.

5. James Squires, *Read All About It! The Corporate Takeover of America's Newspapers,* Times Books, New York, 1993.

6. Elizabeth Lesly, «Self-Censorship Is Still Censorship», *Business Week,* 16 décembre 1996, p. 78.

fédéral exigeait une réduction de 50 pour cent du personnel des journaux et de la radio, la fermeture des bureaux à l'étranger et une information produite sur demande pour satisfaire ses propres intérêts. On assisterait à un tollé qui reléguerait les lois sur les étrangers et sur la sédition, le péril rouge et le Watergate au rang de jeux d'enfants. Pourtant, lorsque les compagnies américaines poursuivent énergiquement cette politique, à peine entend-on un faible murmure de protestation.

Moins de journalistes, des budgets limités, des salaires bas et un moral plus bas encore, tout cela a fait que le pouvoir est passé dans le camp de l'industrie des relations publiques qui cherche à remplir les médias d'informations favorables à ses clients. Un expert estime qu'il y a actuellement aux États-Unis 20 000 agents de relations publiques de plus qu'il n'existe de journalistes [7]. Leur fonction est d'offrir aux médias des vidéos sophistiquées et des communiqués de presse sur mesure, afin de faire du remplissage ou de contribuer aux récits qui passent pour de l'information.

On peut percevoir les conséquences de cette attaque en règle de la part des relations publiques dans le champ du journalisme dans deux des thèmes les plus importants de la politique américaine des années 1990 : le commerce extérieur et

---

7. *Voir* John Stauber et Sheldon Rampton, *Toxic Sludge is Good for You : Lies, Damn Lies and the Public Relations Industry,* Common Courage Press, Monroe, 1995.

les soins de santé. Ces deux questions ont ceci de particulier qu'elles fournissent l'occasion de débats clairs sur les politiques à élaborer dans tous les genres de questions de longue durée très importantes (c'est-à-dire, la mondialisation de l'économie, l'effondrement du niveau de vie et la sécurité économique) qu'en général, le journalisme professionnel évite d'aborder. Dans le cas du GATT (Accord général sur les tarifs douanier et le commerce) et de l'ALÉNA (Accord de libre-échange nord-américain), les grandes multinationales appuyaient presque inconditionnellement le « libre-échange ». Même si une telle unanimité n'existait pas dans le milieu des affaires au sujet des soins de santé, l'industrie des assurances avait un intérêt énorme à maintenir sa mainmise dans ce secteur. Dans les deux cas, ces puissantes organisations ont réussi à neutraliser l'opinion publique même si, au début, en se fondant sur leur propre expérience, les gens s'étaient prononcés contre le GATT et l'ALÉNA, et en faveur d'un régime national de soins de santé qui soit le même pour tous.

Ce processus a mis en évidence la disparition du journalisme. Sur les deux questions, les grandes compagnies ont lancé des campagnes de relations publiques savamment orchestrées, dont le coût a atteint plusieurs millions de dollars, afin d'obscurcir le débat, de semer la confusion dans la population et, même si elles ne parvenaient pas à affaiblir l'opposition à la position du milieu des affaires, du moins de permettre aux groupes puissants d'ignorer plus facilement l'opinion populaire. En fait, les compagnies américaines ont réussi à créer leur propre « vérité » et nos médias d'information ont semblé incapables de remplir la mission que la société attend d'eux si désespérément ou ils n'ont pas voulu le faire. Et cela représente probablement fidèlement ce que sera le nouveau journalisme commercial mondial des géants des médias.

Les journaux et la presse électronique ne sont pas les seules victimes d'un système dominé par les compagnies et la recherche du profit. La prise de contrôle d'une grande partie de la publication des magazines par de grandes compagnies a eu pour conséquence d'augmenter les contraintes qui pèsent sur les rédacteurs pour qu'ils donnent la priorité à des éditoriaux qui plaisent aux annonceurs ou qui servent bien l'ordre du jour politique des compagnies propriétaires. Dès 1996, les rédacteurs en chef de magazines réclamaient de leurs suzerains qu'ils acceptent de se soumettre à une autodiscipline minimale qui respecterait quelques préceptes élémentaires du code de déontologie en matière d'éditoriaux. Un phénomène semblable se déroule dans l'édition du livre. À la suite d'une vague de fusions et d'acquisitions, trois des quatre géants mondiaux des médias possèdent actuellement les trois maisons d'édition de livres les plus importantes au monde. Dans le domaine de la vente au détail, une forte concentration entre les mains de quelques chaînes énormes voit le jour aux États-Unis : presque la moitié des livres vendus au détail le sont par Barnes and Nobles et par Borders [8]. Le phénomène du regroupement des maisons d'édition aux mains de ces compagnies a conduit à un virage à droite dans le genre de livres acceptés pour publication ainsi qu'à une tendance à faire que les livres ressemblent « à toute la production habituelle des médias ». Il n'y a pas très longtemps, l'industrie du livre jouait un rôle important de stimulant pour la culture et les débats publics. Maintenant, elle a troqué une grande partie de cette fonction contre la mise en valeur des idées et des intérêts de ses propriétaires. André Schiffrin, l'ancien éditeur de Random House, écrit que « la course au profit étouffe notre production culturelle comme un masque de fer ». Il conclut que nous pourrions fort bien avoir des compagnies qui sont des « fournisseurs de culture convaincus que la pensée unique convient à tous [9] ».

La concentration des compagnies et la maximisation des profits ont toutes deux des conséquences désastreuses dans les domaines de la musique, de la radio, de la télévision et du cinéma. La quête du succès commercial a été renforcée. En 1996, après

8. Institute for Alternative Journalism, « Media and Democracy : a blueprint for reinvigorating public life in the Information Age », Document de travail, décembre 1996, p. 4.

9. Andre Schiffrin, « The Corporatization of Publishing », *The Nation*, 3 juin 1996, p. 2932.

une recherche portant sur 164 films, *Variety* a tiré la conclusion que des «films à budget de plus de 60 millions de dollars ont plus de chances de rapporter des profits que des productions moins coûteuses [10]». Un producteur d'Hollywood fait remarquer que les fusions dans les médias renforcent la tendance actuelle vers une «plus grande importance accordée au résultat financier, à l'homogénéité du contenu et à des risques moindres [11]». La catégorie de films qui s'avère à moindre risque et qui rapporte le plus est celle des films d'«action». Ce phénomène est amplifié par la croissance rapide des ventes de films d'Hollywood à l'extérieur des États-Unis, à tel point que ces revenus sont maintenant plus importants que ceux qui sont récoltés au pays. Les films de violence, qui requièrent moins de nuances que les comédies ou les tragédies, sont particulièrement populaires sur tous les marchés. «Quand ça cogne, ça passe partout», souligne le directeur d'un journal [12]. L'autre direction empruntée par les géants des médias pour réduire les risques est la production de films qui débouchent sur la fabrica-

---

10. Leonard Klady, «Why mega-flicks click», *Variety*, 25 novembre 1996, p. 1.

11. Barbara Maltsby, «The Homogenization of Hollywood», *Media Studies Journal*, printemps–été 1996, p. 115.

12. Bill Carter, «Pow! Thwack! Bam! No Dubbing Needed», *The New York Times Weekly Review*, 3 novembre 1996, p. 6.

tion de produits dérivés. Les revenus et les profits ainsi réalisés peuvent parfois atteindre ou dépasser ceux des entrées en salle ou de location de vidéos[13]. La plus grande réussite de ce mariage entre Hollywood et Madison Avenue est survenue en 1996 avec la sortie du film *Space Jam*, une production de Time Warner qui reposait sur la publicité pour les chaussures Nike et mettait en vedette Bugs Bunny et Michael Jordan. La réalisation avait été confiée au « réalisateur le plus en vogue au pays dans le domaine de la publicité ». Comme le magazine *Forbes* le fait remarquer, « le seul but du film est de vendre, de vendre encore et toujours ». Time Warner « espère vendre jusqu'à un milliard de dollars de jouets, de vêtements, de livres et d'articles de sport inspirés par les personnages du film[14] ». Les conséquences pour l'« art » du cinéma sont évidentes.

En fait, le mercantilisme pénètre les médias dans leurs moindres aspects. Au cours de la dernière décennie, le volume de la publicité est monté en flèche. Les réseaux américains de télévision diffusent actuellement 6 000 publicités par semaine, ce qui représente une augmentation de 50 pour cent depuis 1983. Comme l'observe *Business Week*, « le

---

13. Bruce Orwall, « Disney Chases Live-Action Merchandising Hits », *The Wall Street Journal*, 27 novembre 1996, p. B1.

14. Luisa Kroll, « Entertainomercials », *Forbes*, 4 novembre 1996, p. 322.

consommateur est enterré vivant sous la publicité ». Cherchant à se faire voir et entendre à tout prix, les annonceurs adoptent de nouvelles méthodes pour faire passer leurs messages, y compris « le placardage sur tout ce qui est immobile [15] ». Pour circonvenir cette frénésie publicitaire et le scepticisme des consommateurs devant les méthodes conventionnelles, les agents de commercialisation essaient d'infiltrer le secteur du divertissement. À Los Angeles, par exemple, on trouve plus d'une douzaine de firmes de consultants dont le seul rôle est d'aider ces agents à établir des liens avec les producteurs de films et de télévision, afin de « placer » leur produit et de le promouvoir insidieusement à l'intérieur de la programmation [16]. « Les relations entre Madison Avenue et Hollywood se sont tellement développées, conclut *Business Week,* que rien n'est impossible lorsque les studios et les annonceurs se réunissent pour concocter leur campagne publicitaire [17] ». La vieille notion de la séparation entre la politique éditoriale et l'intérêt commercial est en chute libre. Les annonceurs jouent un rôle de plus en plus important dans le choix du contenu des médias. Les médias sollicitent le capital et l'apport

---

15. Mary Kuntz et Joseph Weber, « The New Hucksterism », *Business Week,* 1er juillet 1996, p. 77–84.

16. Michael Schneider, « Brand name-dropping », *Electronic Media,* 26 août 1996, p. 1 et 30.

17. Mary Kuntz et Joseph Weber, *op. cit.,* p. 77–84.

des compagnies publicitaires lorsqu'ils conçoivent leur programmation. « Les réseaux sont heureux de se plier aux désirs des annonceurs qui veulent jouer un rôle plus important [18] ». Un directeur de publicité américain prédit que les annonceurs exigeront partout ce traitement de faveur : « Ce ne sont que les signes avant-coureurs de ce à quoi il faut s'attendre lorsque nous aurons à notre disposition 500 chaînes [de télévision]. Chaque client aura son émission particulière, spécialement confectionnée en fonction de ses besoins, fondée sur sa campagne publicitaire [19]. »

18. *Ibid.*, p. 82.

19. Sally Goll Beatty, « CNBC Will Air A Show Owned, Vetted by IBM », *The Wall Street Journal*, 4 juin 1996, p. B1 et B8.

CHAPITRE IV

Internet et la révolution numérique

L'AVÈNEMENT du système mondial des médias commerciaux n'est qu'une des deux tendances marquantes des années 1990. L'autre, c'est le développement des réseaux d'ordinateurs numériques en général et d'Internet en particulier. Du système de communications numériques découle naturellement la disparition des distinctions traditionnelles entre la téléphonie et les autres genres de médias. Ces industries finiront par « converger », c'est-à-dire que les compagnies qui sont actives dans l'un de ces deux secteurs seront capables par définition d'entrer en concurrence dans les domaines traditionnellement réservés à l'autre. Un exemple de convergence nous est actuellement donné par les compagnies de téléphone et les compagnies de réseaux câblés qui peuvent maintenant s'offrir des services réciproques. Internet a ouvert des possibilités importantes dans le champ des communications démocratiques et progressistes, notamment pour les militants dont les médias commerciaux traditionnels limitaient l'expression. À lui seul, cet élément a fait de l'apparition de ce média une contribution technologique extrêmement positive. Malgré tout, en déduire qu'Internet est en train de devenir le média démocratique par excellence pour la société dans son ensemble ne va pas de soi. L'idée qu'il permettra à l'humanité de se passer du capitalisme et des compagnies de médias entre en contradiction flagrante avec ce que l'on observe actuellement, à savoir sa commercialisation rapide.

De plus, de nombreuses années passeront avant qu'Internet puisse s'établir comme média dominant aux États-Unis en remplaçant la télévision dans ce rôle, et plus longtemps encore ailleurs dans le monde. La raison en incombe à l'étroitesse de la bande disponible, aux difficultés d'accès aux ordinateurs et à leur coût, ainsi qu'aux nombreux problèmes techniques qui se posent et qui s'avèrent souvent fort complexes. L'ensemble de ces facteurs limitera l'utilisation d'Internet. Rupert Murdoch, dont la compagnie, News Corporation, a été, semble-t-il, la plus énergique parmi les géants des médias pour explorer les possibilités offertes par le « cyberespace », déclare que la mise en place de l'autoroute de l'information « va prendre plus de temps qu'on ne le pense généralement ». Selon lui, il faudra attendre 2010 ou 2015 avant qu'un réseau à large bande soit en opération aux États-Unis et en Europe de l'Ouest, et jusqu'au milieu du XXIᵉ siècle pour qu'un tel réseau s'impose partout ailleurs [1]. Bill Gates lui-même, dont l'entreprise, Microsoft, consacre annuellement 400 millions de dollars afin de devenir un fournisseur de contenu d'Internet, reconnaît que celui-ci « ne s'implantera que très lentement [2] » comme média de masse. C'est une opinion que partagent de toute évidence les compagnies de médias et de communications, ce qui explique pourquoi elles consacrent encore des investissements gigantesques à la diffusion par terre et à la transmission numérique par satellite. Il est douteux qu'on ferait de tels investissements si la mise en place de l'autoroute de l'information à large bande était imminente. Comme le déclarait en 1996 Frank Biondi, le président de MCA, les compagnies de médias « ne considèrent en aucun cas Internet comme une entreprise concurrente [3] ».

La manière dont les compagnies pourront gagner de l'argent en tant que fournisseurs de contenu d'Internet demeure encore incertaine. C'est bien pourtant la question la plus importante dans une

---

1. Raymond Snoddy et Alan Cane, « Full multimedia impact years away, says Murdoch », *Financial Times,* 12 mai 1995, p. 1.

2. Brent Schlender, « A Conversation with the Lords of Wintel », *Fortune,* 8 juillet 1996, p. 46.

3. David Lieberman, « Old guard tactic is old brand names », *USA Today,* édition internationale, 19 juillet 1996, p. 8A.

économie de marché. Les prédictions les plus prometteuses n'envisagent pour 2000 que 5 milliards
de dollars consacrés à la publicité sur Internet, ce
qui ne représenterait que 2 à 3 pour cent du montant global que l'on prévoit consacrer à la publicité
durant cette même année aux États-Unis. Les
géants des médias ont tous un site Internet. Ils ont
des produits à vendre et un tiroir-caisse grand ouvert pour récolter les fruits de leurs ventes et s'imposer comme des acteurs déterminants du cyberespace. Ils peuvent aussi faire usage des autres
moyens dont ils disposent afin de promouvoir constamment leur site et se servir de leurs relations
avec les grandes compagnies de publicité pour les
inviter à se joindre à eux. Bref, si Internet devient
un média commercial rentable, il est fort probable
que les géants des médias figureront parmi ceux
qui seront capables d'en tirer profit. Les autres « gagnants » seront probablement des compagnies
comme Microsoft qui disposent des moyens d'accaparer une part du marché.

Alors qu'actuellement, l'existence d'Internet ne
menace pas directement les compagnies de médias,
la situation est toute différente pour les fabricants
de logiciels et les compagnies de télécommunications. Internet est en train de modifier la nature
même de ces compagnies qui consacrent tous leurs
efforts à intégrer Internet au cœur même de leurs
activités. On peut d'ores et déjà prévoir que les fusions et les alliances qui s'ébauchent auront un

impact extrêmement important sur les médias mondiaux au fur et à mesure que les compagnies de médias feront leur entrée dans le domaine de la communication numérique. Il s'agit là d'une hypothèse ; il est également possible qu'un réseau de communication numérique à orientation délibérément commerciale finisse par supplanter Internet.

Étant donné la privatisation et la commercialisation qui constituent la base de l'économie mondiale de marché, nous vivons une étape de reconstruction complète du système mondial des télécommunications par rapport au système des monopoles nationaux à but non lucratif qui prédominait il y a 15 ans à peine. À la fin des années 1990, les plus grandes compagnies au monde de télécommunications se sont lancées dans la course aux alliances mondiales [4]. Lorsqu'en novembre 1996, l'entreprise britannique Telecom a fait l'acquisition de MCI pour une somme d'environ 20 milliards de dollars afin de créer Concert, ce fut la preuve que des alliances pouvaient se transformer officiellement en fusions. AT&T s'est alliée à Singapore Telecom et quatre des plus grandes compagnies nationales européennes se sont réunies pour fonder World Partners. Sprint, Deutsche Telekom

---

4. Tony Jackson, « MCI sees the future in "one-stop" services », *Financial Times,* 8 août 1996, p. 15.

et France Télécom ont mis sur pied Global One[5]. Le *Financial Times* prévoit que l'aboutissement de ces alliances sera « la mainmise d'une poignée de géants sur le marché mondial[6] ». En 1996, le président de MCI, Gerald H. Taylor, concluait que « probablement quatre à six gangs mondiaux seulement émergeront au cours des cinq années à venir, lorsque tout cela prendra forme[7] ». Chacune de ces alliances mondiales consacre son énergie à offrir au marché mondial des affaires « un point de vente unique » de services de téléphone, de téléphones cellulaires, de téléavertisseurs et d'accès aux services d'Internet.

Compte tenu de la logique du marché et de la convergence [entre les industries de la téléphonie et des autres genres de médias], il est à prévoir que l'oligopole mondial des médias se transformera progressivement en un oligopole des communications encore plus vaste dans les 10 ou 20 prochaines années. BT-MCI possède déjà 13,5 pour cent des actions de News Corporation et US West a des

---

5. « Global Telecom Alliances », *Information Week,* 13 novembre 1995 ; Michael Lindemann, « Telecoms operators launch global alliance », *Financial Times,* 1er février 1996, p. 16.

6. « The world of giant telecoms », *Financial Times,* 2 avril 1996, p. 13.

7. John J. Keller et Gautam Nauk, « PacTel-SBC Merger Is Likely to Ring In An Era of Alliances Among Baby Bells », *The Wall Street Journal,* 2 avril 1996, p. B1.

actions importantes dans Time Warner. Les géants des médias établiront des liens avec la poignée des « gangs mondiaux » de télécommunications et tous concluront des accords avec les compagnies d'informatique de premier plan. Comme l'explique Danielle Robinson, le but de toutes les compagnies qui se consacrent à l'« infocommunication » est de « s'assurer qu'elles figurent parmi celles qui finiront un jour par faire partie de la poignée des compagnies monolithiques en mesure de contrôler à la fois les produits et les réseaux de distribution. [...] Le principal objectif des fusions et des acquisitions de l'avenir sera le contrôle de la transmission des trois produits de base de l'industrie des télécommunications, c'est-à-dire la voix, les données et la vidéo[8] ». Bref, Internet et les réseaux numériques de télécommunications n'empêcheront pas le développement d'un oligopole mondial des communications, ils en seront plutôt des constituants à part entière. Dans l'économie de marché, Internet sera façonné pour satisfaire les besoins du milieu des affaires et des consommateurs riches, car c'est dans leurs poches que se trouvent les profits les plus faciles à réaliser.

Autrefois — pendant les années 1994 et 1995 qui peuvent être considérées comme le lointain passé d'Internet —, quelques utilisateurs enthousiastes étaient tellement impressionnés par la

---

8. Danielle Robinson, « Opening up the markets in US telecoms », *The Independent*, 13 février 1996, p. 24.

puissance de la technologie qu'ils croyaient que le cyberespace marquerait la fin des géants des communications dont le but est le profit, car les gens seraient capables de s'y affranchir des compagnies commerciales et de communiquer sans intermédiaire à l'échelle planétaire. C'était ainsi qu'on imaginait l'avenir alors. Ce qui frappe le plus, à la fin des années 1990, c'est sans doute de voir à quelle vitesse s'est atténuée l'euphorie de ceux qui considéraient Internet comme un moyen de promouvoir un journalisme, une conception de la politique et des médias, et une culture qualitativement différents et égalitaires. Tout semble indiquer que, fondamentalement, les contenus des médias commerciaux sur Internet, ou sur tout autre système de communication numérique, ne différeront guère de ce qui existe actuellement. En fait, la publicité et le mercantilisme ont probablement plus d'influence sur le contenu d'Internet que n'importe où ailleurs. Les annonceurs et les compagnies de médias désirent qu'Internet ressemble de plus en plus à la télévision commerciale qui a prouvé sa capacité de faire des profits. En décembre 1996, la compagnie Microsoft a restructuré son énorme réseau, Microsoft Network, pour lui donner l'apparence de la télévision[9]. Le directeur des services d'Internet chez AT&T déclare que le réseau pourrait devenir

---

9. Don Clark, « Microsoft's On-Line Service Goes to a TV format », *The Wall Street Journal,* 9 décembre 1996, p. B8.

le fin du fin des médias de la publicité : « Si cela est bien fait, vous ne sentirez aucune tension entre le consumérisme et le divertissement [10] ». Frank Beacham, qui était en 1995 un fervent partisan d'Internet comme espace public hors du contrôle des compagnies ou du gouvernement, se plaignait un an plus tard de l'évolution du réseau « qui, de média favorisant la participation populaire et servant ses intérêts, s'est transformé en média de diffusion où les compagnies injectent de l'information orientée vers la consommation. L'interaction n'irait pas beaucoup plus loin que les opérations commerciales et le courrier électronique [11]. »

---

10. Michael Krantz, « The Webmeister of AT&T », *Media-week*, 20 novembre 1995, p. 17.

11. Frank Beacham, « Net Loss », *Extra!*, mai–juin 1996, p. 16.

CHAPITRE V

Le débat sur la politique
en matière de communications
aux États-Unis

QUAND ON ANALYSE la commercialisation d'Internet, on se rend compte que l'absence de tout débat politique sur la meilleure façon d'utiliser le cyberespace la rend plus facile. Si les questions qui se rapportent aux communications faisaient l'objet d'un débat politique, rien ne s'opposerait à ce qu'on donne à Internet une autre orientation que celle de servir le milieu des affaires. En fait, étant donné l'ampleur de la révolution dans les communications et tout le battage publicitaire autour de son importance comme événement fondateur d'une ère nouvelle, il est remarquable de constater le peu de place que l'on accorde dans les débats publics à la question des communications et de leur réglementation. On prend des décisions fondamentales, et même quand c'est le gouvernement qui le fait, la tendance est de les prendre plus ou moins en secret au sein de groupes d'intérêts privés.

Historiquement, l'avènement de nouvelles technologies d'importance cruciale pour les communications telles que la radiodiffusion a suscité des débats politiques d'envergure nationale pour définir les conditions qui permettraient de gérer au mieux ces ressources. C'est à la suite de ces débats, par exemple, que des systèmes publics de radiodiffusion ont été mis en place, non dans un but de profit, mais afin d'atteindre des objectifs déterminés sur la place publique. C'est l'élite de la société qui en discuta le plus souvent, mais avec l'intervention périodique de la population. La part que représente dans les débats sur la politique des communications l'intervention de ceux qui n'appartiennent pas à l'élite donne la mesure du degré de démocratie qui règne dans une société. En règle générale, si certaines forces dominent entièrement l'économie politique d'une société, elles finissent par dominer complètement son système de communications et par décider des règles selon lesquelles il doit être organisé aussi bien que les questions à ne pas aborder dans le champ des discussions politiques. C'est ainsi que les choses se sont toujours passées sous le Parti communiste dans différentes « Républiques populaires » comme, la plupart du temps, dans le milieu des affaires aux États-Unis.

C'est aux États-Unis que le déclin du débat public sur les communications est le plus marqué. Pourtant, cela pourrait surprendre la plupart des gens d'apprendre que la cause de ce déclin ne découle nullement d'un amour des médias commerciaux inscrit dans les gènes de ceux qui naissent dans notre pays. C'est un goût acquis. Quand la radiodiffusion est apparue au cours des années 1920, peu de gens croyaient qu'elle avait un potentiel commercial[1]. De nombreux pionniers de la radiodiffusion ont été des organismes à but non lucratif voués au bien commun. C'est seulement vers la fin des années 1920 que les capitalistes ont commencé à se rendre compte que la radiodiffusion pouvait être une formidable source de profits à cause de la publicité commerciale qu'elle rendait possible. Grâce à leur immense influence à Washington, ces radiodiffuseurs commerciaux ont réussi à dominer la Commission fédérale de la radio (CFR). En conséquence, les quelques canaux existants leur ont été cédés sans aucune consultation populaire et avec un minimum de délibérations au Congrès.

Ce fut à la suite de cette commercialisation des ondes qu'une partie de la société américaine s'est ralliée à un mouvement de réforme de la radiodiffusion pour tenter de donner le rôle prédominant au secteur de la diffusion à but non lucratif et sans fin commerciale. Ces opposants au mercantilisme provenaient du secteur de l'éducation, des groupes religieux, des syndicats, des organisations

---

1. Cette question est traitée plus amplement dans Robert W. McChesney, *Through the Media Looking Glass*, Common Courage Press, Monroe, 1995, p. 258.

civiques et féministes, du journalisme, de groupes de fermiers ; on trouvait aussi parmi eux des libertaires et des intellectuels. Les réformistes ont essayé de miser sur le mépris extrême du peuple à l'égard de la radio commerciale, qui s'était exprimé pendant la période précédant 1934, lorsque le Congrès revenait annuellement sur la nécessité de légiférer pour garantir la réglementation permanente de la radiodiffusion. Ces réformistes étaient des radicaux qui s'exprimaient ouvertement et déclaraient que si des intérêts privés contrôlaient le média avec le profit pour objectif, ni réglementation ni autodiscipline ne pourraient empêcher de se développer la tendance que le système portait en lui. La radiodiffusion commerciale, expliquaient-ils, éliminerait des émissions tout ce qui a un caractère polémique, qui défend un point de vue favorable à la classe ouvrière et qui soumet ouvertement à la critique la marche des affaires publiques, tandis qu'elle imposerait toute orientation permettant aux annonceurs de vendre le plus de marchandises possible.

Le mouvement réformiste se désagrégea à la suite de l'adoption, en 1934, de la Loi sur les communications qui donna naissance à la Commission fédérale des communications (CFC). Les réformistes de 1930 sont sortis perdants de la bataille livrée contre les groupes d'intérêts commerciaux parce que les forces étaient inégales. Le groupe de pression de la radio commerciale a gagné parce qu'il a réussi à laisser la plupart des Américains dans l'ignorance ou dans le vague sur les débats en cours au Congrès au sujet de la politique des communications. Ce groupe de pression a pu agir de la sorte parce qu'il contrôlait les éléments essentiels de la presse d'information et grâce à une campagne de relations publiques hautement raffinée auprès de la population et du reste de la presse. Les partisans de la radiodiffusion commerciale sont aussi devenus une force que peu de politiciens osaient affronter ; dans leur grande majorité, les principaux représentants du mouvement réformiste au Congrès ont été défaits lorsqu'ils ont tenté de se faire réélire, en 1932 et 1933. Ce résultat n'est pas passé inaperçu auprès des nouveaux membres du Congrès. C'est à la suite de cette défaite des réformistes que la thèse selon laquelle le caractère commercial de la radiodiffusion était par essence démocratique et américain s'est imposée comme un fait incontestable et est devenue partie intégrante de la culture politique.

Dès lors, la seule critique de la radiodiffusion admise aux États-Unis a été celle qui la déclarait non concurrentielle ou « excessivement » commerciale et qui, par conséquent, réclamait une réglementation modérée afin de protéger l'intérêt public, sans toutefois en remettre en cause le caractère lucratif. Les fondements de cette revendication « libérale » reposaient sur le principe qu'une réglementation s'imposait vu le nombre limité de stations et *non sur le fait que* l'industrie de la radiodiffusion était fondamentalement viciée par son infrastructure capitaliste. Ce genre de revendication s'éloignait considérablement des critiques des réformistes des années 1930 pour qui le problème n'était pas simplement le manque de concurrence sur le marché, mais bien le fait que cette concurrence est en soi la règle du marché. La conséquence, c'est qu'avec la croissance importante du nombre de canaux dans le contexte actuel de la révolution des moyens de communication, l'argument du nombre limité de stations n'est plus pertinent et les modérés ou « libéraux » n'ont plus rien à opposer à la poussée irrésistible en faveur de la déréglementation.

C'est dans le contexte de cette portée limitée du débat politique que se sont développées, au cours des années 1940, de nouvelles technologies telles que le téléscripteur, la radio à modulation de fréquence (FM) et la télévision. La mainmise des compagnies de communication sur ces technologies ne donna lieu à aucune contestation, pas même de la part des partisans du *New Deal* pour qui l'intérêt public avait une grande importance. Par rapport au débat sur la radio des années 1930, le débat public à propos d'une autre exploitation possible de ces nouvelles technologies a été presque inexistant. En 1940 et au cours des années suivantes, les libéraux savaient que la base commerciale du système était intouchable. Ils se sont donc contentés d'essayer d'implanter en marge les germes d'un système

à visée non commerciale. (Ce n'était pas chose facile, car chaque fois qu'on croyait que ces îlots à
but non lucratif faisaient entrave à une croissance
qui pouvait faire naître de nouveaux profits, leur
avenir était compromis.)

La mise en marge dans les débats de la valeur
d'un service public de communications — en fait,
l'élimination de tout débat politique sur les
communications — explique la déplorable histoire
de la radio et de la télévision publiques aux États-
Unis. La défaite du mouvement réformiste en 1934
a marqué l'entrée dans ce que l'on pourrait nommer
l'«époque sombre» de la radiodiffusion publique.
Alors que les réformistes des années 1930 cher-
chaient à instaurer un système de communications
dominé par un secteur non commercial et à but
non lucratif, tous les défenseurs du service public
de diffusion qui leur ont succédé ont dû accepter
le principe que le système était conçu pour servir
les diffuseurs commerciaux en premier lieu et que
toute station publique devrait être confinée en
marge du système, là où elle ne menacerait pas les
profits, même pas les profits potentiels. Cela a fait
de la radiodiffusion publique aux États-Unis un
système radicalement différent de celui de la
Grande-Bretagne, du Canada ou de tout autre pays
doté d'une économie comparable à la nôtre. Alors
que la BBC (*British Broadcasting Corporation*) et
la SRC (Société Radio-Canada) considéraient leur
mandat comme un service à rendre à la population

dans son ensemble, les radiodiffuseurs publics aux États-Unis se sont aperçus que, politiquement, ils ne pouvaient survivre qu'en n'enlevant pas d'auditeurs aux radiodiffuseurs commerciaux. La fonction des radiodiffuseurs publics ou spécialisés dans les émissions éducatives a donc été confinée dans le champ de ce qui ne pouvait pas être une source de profits pour les diffuseurs commerciaux. En même temps, les hommes politiques et les membres du gouvernement hostiles au service public de radiodiffusion ont insisté pour que la diffusion publique évolue dans le même cadre idéologique que le système commercial. Après 1935, cela a eu pour effet d'encourager le service public de diffusion aux États-Unis à mettre l'accent sur une programmation culturelle élitiste, restreignant ainsi la possibilité de toucher un vaste auditoire. Bref, depuis 1935, le service public de diffusion est dans l'impasse.

De 1920 à 1960, la fonction majeure de la radiodiffusion non commerciale aux États-Unis a été d'ouvrir de nouvelles sections du spectre électromagnétique, à une époque où les compagnies commerciales ne les considéraient pas encore comme sources de profits. Les diffuseurs d'émissions éducatives ont ainsi joué un rôle de premier plan dans le développement de la radio en modulation d'amplitude (AM) pendant les années 1920 et, par la suite, de la radio en modulation de fréquence (FM), et même de la télévision dans le domaine des fréquences ultra-hautes (UHF) pendant les années 1940 et 1950. Dans chaque cas, dès qu'on s'est aperçu que des profits étaient possibles, on a éliminé les « éducateurs » et les capitalistes ont pris les rênes. Cela semble être aussi le destin d'Internet, développé en tant que service public par le secteur à but non lucratif grâce au financement du gouvernement jusqu'au moment où le capital a décidé d'en prendre le contrôle et de repousser les pionniers en marge. Les réformistes de la radiodiffusion des années 1930 étaient très conscients de cette tendance et ils ont refusé de se laisser repousser par la CFC dans de nouvelles technologies auxquelles le grand public n'aurait pas accès. Après 1935, les partisans d'un service public de radiodiffusion n'ont plus eu leur mot à dire. (Dans de nombreux cas, des technologies telles qu'Internet, les satellites et les communications numériques ont été développées grâce aux fonds de recherche du gouvernement fédéral. Mais, dès que ces technologies sont apparues comme des sources potentielles de profit, elles ont été cédées à des intérêts privés en échange de compensations minimales.)

Malgré les contraintes imposées à la radiodiffusion non commerciale, les radiodiffuseurs commerciaux se méfiaient du principe d'un service public de radiodiffusion et l'ont combattu avec acharnement jusque tard dans les années 1960. Après bien des tentatives étouffées dans l'œuf, le Congrès a adopté la Loi sur la radiodiffusion publique en 1967, ce qui a permis la création de la *Corporation for Public Broadcasting* (CPB) et, peu après, de *Public Broadcasting Services* (PBS) et de la *National Public Radio* (NPR). Les radiodiffuseurs commerciaux ont fini par accepter de ne pas s'opposer au service public de radiodiffusion, principalement parce qu'ils étaient convaincus que ce nouveau service pourrait prendre en charge la diffusion d'émissions à vocation culturelle ainsi que de sujets concernant les affaires d'intérêt public qui ne pouvaient aucunement constituer une source de profits et que les critiques leur reprochaient constamment de négliger. Malgré tout, il y avait un piège. On abandonna l'idée initiale de financer la CPB par une taxe de vente à l'achat de nouveaux appareils de radio et de télévision, une méthode de financement comparable à celle de la BBC, ce qui privait le service public de radiodiffusion d'une source régulière de revenus dont elle avait absolument besoin aussi bien pour établir sa programmation que pour l'autonomie de sa politique éditoriale. À la fin, on décida donc que le peuple américain disposerait d'un système public, mais que ce système serait sérieusement handicapé. Nous aurions seulement le système que les sociétés commerciales de radiodiffusion autoriseraient.

Bien que CPB, PBS et NPR soient à l'origine de bonnes productions, leur intégrité est compromise par leur structure de base qui fait d'eux une véritable farce en comparaison du puissant système de service public en vigueur en Europe. En fait, dans des discussions internationales sur les systèmes publics de radiodiffusion, PBS est évoqué comme l'exemple d'un système marginal et inefficace. C'est un destin que la BBC, la SRC et d'autres souhaitent éviter.

Le mode de financement est le grand responsable. Le gouvernement américain ne fournit que 15 pour cent des revenus des stations publiques de radiodiffusion. Elles dépendent pour le reste de dons d'entreprises, de subventions de fondations et, pour équilibrer le tout, de dons des auditeurs et des spectateurs. En réalité, ce dispositif a fait de PBS et de NPR des sociétés commerciales de radiodiffusion et a donné aux compagnies géantes qui en contrôlent le financement une énorme influence sur le contenu de la programmation, à tel point que les principes fondamentaux de la radiodiffusion publique sont violés. Cette situation a aussi encouragé la tendance à attirer des auditeurs et des spectateurs aisés plutôt que des travailleurs, car on trouve beaucoup plus facilement des revenus chez les premiers. Ironiquement, c'est cet appui des riches qui donne au service public de radiodiffusion le levier dont il a besoin dans ses négociations pour obtenir des subsides du gouvernement fédéral, autant que n'importe quel argument en faveur d'un média pour le «peuple». Si le fédéral éliminait complètement son apport financier, l'orientation en faveur des intérêts des compagnies et d'un

auditoire qui dispose d'un revenu élevé en serait
amplifiée.

CHAPITRE VI

La Loi fédérale sur les télécommunications de 1996

LA RÉVOLUTION numérique a rendu obsolète l'ensemble des frontières juridiques et techniques que la Loi sur les communications de 1934 avait établi entre la téléphonie et la radiodiffusion. En fait, toutes les barrières qui séparaient les diverses formes de communications sont en train de tomber et, partout, les lois sur les communications seront bientôt totalement dépassées. Le président Clinton a ratifié la Loi sur les télécommunications de 1996, adoptée par le Congrès afin de remplacer la Loi de 1934. La nouvelle Loi a pour objectif de déréglementer toute l'industrie des communications pour laisser au marché, en dehors du champ politique, le soin de déterminer l'évolution de l'autoroute de l'information et du système des communications. En général, elle est considérée comme l'une des trois ou quatre lois fédérales les plus importantes de notre époque.

Même selon les normes minimales de 1934, les débats sur la Loi de 1996 n'ont été qu'une farce. Une partie de la Loi a été rédigée par des groupes de pression représentant les compagnies de communications en cause. Le seul «débat» qui a eu lieu s'est limité à se demander qui, des radiodiffuseurs, des compagnies d'appels téléphoniques interurbains, des compagnies de services téléphoniques locaux ou des compagnies de câbles, obtiendrait la meilleure place sur la ligne de départ dans la course à la déréglementation. En accord avec le schéma établi vers le milieu des années 1930, la mainmise des compagnies et la recherche du profit étaient considérées comme allant de soi. L'étendue des débats «légitimes» alla de la déclaration du sénateur républicain Newt Gingrich, qui affirmait que le terme «profit» est synonyme de «service public», à celle du vice-président Al Gore selon qui, bien que l'économie de marché ne puisse pas résoudre certains problèmes relatifs à l'intérêt public, on ne saurait les prendre en considération avant que la rentabilité du secteur industriel dominant ne soit bien assurée. Quels que soient les nombreux artifices susceptibles d'enjoliver la position de Gore afin de mieux l'imposer, l'Histoire de la déréglementation dans le secteur des communications n'en montre pas moins que dès qu'on donne la primauté aux compagnies et à leurs intérêts, l'intérêt public est systématiquement écarté.

Pour l'essentiel, la situation actuelle résulte de conditions politiques identiques à celles qui ont déterminé l'élimination des partisans de la réforme de la radiodiffusion des années 1930. Les politiciens peuvent privilégier un secteur plutôt qu'un autre dans la bataille pour se tailler la part du lion sur l'autoroute de l'information, mais ils ne peuvent pas s'opposer au principe même de la course à l'argent sans mettre en péril leur carrière politique. Le Parti démocrate comme le Parti républicain entretient d'étroites relations avec les géants des communications ; les groupes de pression qui opèrent dans ce secteur comptent parmi les plus redoutés, les plus respectés et les plus riches de tous ceux qui cherchent à obtenir des faveurs du Capitole. Seul un groupe de citoyens informés et mobilisés en faveur d'une politique différente pourrait permettre à l'indépendance politique dans le domaine des communications d'avoir une chance de devenir réalité. Seulement, voilà, comment les citoyens peuvent-ils bien s'informer ? Uniquement par l'intermédiaire des médias, lesquels n'offrent qu'un minimum d'information et seulement sur les débats qui ont droit à la qualification de « légitimes », ce qui, dans le cas présent, signifie l'absence presque totale de débat. C'est pourquoi la Loi sur les télécommunications a bénéficié d'une couverture médiatique (plutôt considérable) en tant qu'événement intéressant le *monde des affaires* et non pas en tant qu'événement faisant partie du *domaine public.* Charles Bien, un spécialiste des groupes de pression, a déclaré : « Je n'ai jamais rien vu de comparable au projet de loi sur les télécommunications. Le silence du débat public est assourdissant. Un projet de loi qui aura pour chacun de nous des conséquences aussi étonnantes ne fait pas l'objet de la moindre discussion [1]. »

En résumé, le débat sur les politiques en matière de communications est réservé à l'élite et à ceux qui ont d'importants intérêts financiers en cause. Ce fait n'est pas seulement un témoignage peu glorieux du degré de participation populaire à la démocratie aux États-Unis, c'est aussi une manifestation de la démocratie capitaliste dans toute sa splendeur. Les membres des deux partis ont promis aux citoyens que l'adoption de la Loi sur les télécommunications aurait pour conséquence une relance de l'emploi dans les secteurs les mieux rémunérés, une intense concurrence sur le marché des communications et l'avènement d'un « monde numérique ouvert à tous », pour reprendre les termes d'un libéral, membre du Parti démocrate. Même une lecture superficielle de la presse d'affaires à ce moment-là révélait que les bénéficiaires de la Loi savaient que ces affirmations étaient soit des demi-vérités, soit des mensonges éhontés. Les industries oligopolistiques s'opposent à toute concurrence, sauf celle qu'elles ont judicieusement planifiée. Si

---

1. Communication personnelle, le 6 juillet 1995.

l'on tente de prévoir ce qui découlera de la nouvelle Loi, on peut affirmer que la déréglementation conduira à des fusions, à un accroissement de la concentration et à de continuelles réductions d'effectif. Le fait que la Loi sur les télécommunications de 1996 « lâche la bride » aux multinationales américaines des médias et des communications, afin qu'elles s'agrandissent par les fusions et les acquisitions sans avoir à se soucier de la moindre contrainte imposée par une réglementation, revient à donner le feu vert à la consolidation accrue du marché mondial que ces compagnies dominent. Dans ces conditions, la Loi sur les télécommunications est, en fait, une loi mondiale.

Chapitre VII

Le marché en tant que religion civique

En fin de compte, le système commercial des communications américain trouve sa justification dans l'idéologie de l'infaillibilité du marché, véritable religion civique dans notre pays et dans le monde des années 1990. L'argument généralement invoqué fait valoir que l'autodiscipline du marché est le mécanisme connu le plus parfait, le plus rationnel et le plus équitable pour réglementer toutes les affaires sociales. Tous les efforts entrepris par des gouvernements ou des organismes extérieurs pour intervenir ne feront qu'affaiblir ses sublimes pouvoirs. (John Stossel, correspondant d'ABC, exprime parfaitement cette conception lorsqu'il déclare : « Je suis convaincu que le marché est magique et qu'il s'avère le meilleur défenseur du consommateur. C'est mon boulot d'expliquer les beautés du marché libre[1]. » À moins de s'attaquer directement à cette conception du marché et de prouver qu'elle n'est rien d'autre qu'un mythe, ceux qui luttent pour le changement dans les médias — ou ceux qui s'opposent aux compagnies en général — ont peu de chances de réussir. Cet argument en faveur du marché demeure infaillible seulement dans la mesure où il est un dogme de foi ; il n'a rien à voir avec une quelconque théorie politique qui découlerait d'un travail de recherche et d'analyse.

Le parti pris du marché repose souvent sur le mythe de la concurrence à l'état pur, selon lequel d'innombrables petits entrepreneurs bataillent pour servir la population en abaissant les prix, en améliorant la qualité des produits et en se livrant continuellement à une concurrence féroce. Cette conception du capitalisme, tellement présente dans le discours des Thatcher, Kemp, Pinochet et Friedman de ce monde, a fort peu de rapports avec la réalité du capitalisme. Ce serait un véritable cauchemar pour toute compagnie et les capitalistes qui réussissent s'arrangent, systématiquement et le plus rapidement possible, pour réduire les risques encourus en agrandissant leur entreprise et en éliminant la menace d'une concurrence directe. Par conséquent, la plupart des marchés de première importance ont tendance à devenir des oligopoles, dans lesquels une poignée d'entreprises domine les

---

1. Cité par Jeff Cohen et Norman Solomon, *op. cit.,* p. 258.

activités et érige de solides «barrières interdisant l'entrée» à de nouveaux concurrents. En termes de prix, de production et de profits, les industries oligopolistiques ressemblent bien plus à de purs monopoles qu'à des compagnies soumises à un marché concurrentiel mythique. Alors que les capitalistes s'adonnent aux délices du discours sur le marché libre, la réalité est celle d'un pouvoir économique extrêmement concentré qui n'a de comptes à rendre à personne. Cette situation a cours dans les industries de la publicité, des médias et des télécommunications plus que n'importe où ailleurs.

Au-delà de la mythologie, le marché est en fait un mécanisme régulateur extrêmement médiocre dans un régime démocratique. Sur le marché, le revenu et la richesse déterminent le pouvoir de l'individu. C'est un système dans lequel «un dollar, une voix» a plus de poids qu'«une personne, une voix». Vu sous cet angle, le marché est un mécanisme ploutocratique plutôt que démocratique. En matière de communications, cela signifie que le système qui en résulte est taillé sur mesure pour servir le milieu des affaires et les riches. De la même manière, les marchés ne procurent pas à la population «ce qu'elle désire», mais plutôt «ce qu'elle désire dans le cadre de ce qui est le plus payant pour les producteurs ou qui favorise le plus leurs intérêts politiques». Il s'agit d'un éventail bien plus restreint que celui dans lequel la population aimerait faire ses choix ou que celui dans lequel elle devrait avoir la possibilité de choisir, si l'on veillait à nourrir la culture démocratique. Au cours des années 1930, par exemple, de nombreux Américains auraient probablement consenti à financer un système de radiodiffusion exempt de publicité, mais ce système n'aurait pas été lucratif pour les compagnies commerciales déjà établies. Il ne fut donc jamais proposé sur la place du marché. Plus récemment, en 1995, un sondage sur l'industrie de la publicité a montré qu'aux États-Unis, les deux tiers des adultes préfèrent qu'il n'y ait pas de publicité sur Internet. Cela aussi est un choix que le marché a rejeté comme non pertinent[2]. Outre les communications, il est impossible, dans le cadre du marché, d'aborder adéquatement des questions d'une importance évidente pour la majorité de la population, comme la nécessité de l'accès universel à l'instruction, la question des soins médicaux, de l'emploi ou de la qualité de l'environnement. En fait, seul l'État peut apporter une solution à ces problèmes et le monde des affaires s'y oppose souvent comme à des intrusions inadmissibles dans son contrôle de l'économie politique.

Par ailleurs, parce qu'il est soumis à la nécessité de réaliser des profits, le marché ne peut pas se préoccuper des conséquences qu'il provoque et qui ne font pas partie des effets qu'il recherche et qui

---

2. Addrienne Ward Fawcett, « Interactive awareness growing », *Advertising Age,* 16 octobre 1996, p. 20.

n'affectent pas ses résultats. Ces conséquences, que les économistes nomment des « effets collatéraux », peuvent être positives — l'agrément d'un beau jardin situé devant une usine ou un immeuble de bureaux, par exemple —, mais un grand nombre sont négatives à l'instar de la pollution, pour n'en nommer qu'une. Bien évidemment, les médias ont également des « effets collatéraux ». Certains sont positifs, comme les émissions consacrées aux affaires publiques qui contribuent à accroître l'intérêt pour la politique et à mieux faire connaître ses enjeux. D'autres sont négatifs, comme les effets sociaux néfastes qui résultent de la programmation de futilités et de violence gratuite. Dans une société démocratique, on ne saurait passer sous silence toutes ces conséquences. Elles doivent faire l'objet de discussions et de débats dans la sphère politique, afin d'encourager ce qui est positif et de réprouver ce qui est négatif.

En outre, pour l'individu, le marché n'est qu'un indicateur superficiel des besoins et des désirs humains. De nombreuses recherches montrent que les « valeurs sociales » (l'amour, la famille et l'amitié) sont bien plus précieuses que les « valeurs matérielles » (la sécurité économique et la réussite) comme fondement d'une vie heureuse et pour trouver l'harmonie avec soi-même. Cependant, le marché est mal pourvu pour aborder la question des valeurs sociales, si ce n'est pour les exploiter, souvent de manière perverse, dans des messages publicitaires destinés à vendre des marchandises. Dans la mesure où le marché encourage l'expression de nos pires traits de caractère (égoïsme et cupidité) au détriment de celle des meilleurs (générosité et compassion), il participe à coup sûr au malheur des êtres humains [3]. Comme le fait observer Norman Solomon : «Nos désirs les plus profonds, l'amour véritable, le bonheur, la communauté, la tranquillité d'esprit, ne s'achètent à aucun prix. [4]»

La force de l'idéologie selon laquelle le marché doit être le mécanisme régulateur des médias repose principalement sur la métaphore de la «Bourse aux idées». Celle-ci suggère qu'aussi longtemps qu'il n'existera pas d'ingérence gouvernementale, toutes sortes d'idées fleuriront sous le soleil de la démocratie, les plus justes étant celles qui s'imposeront. On suppose alors que le marché boursier est un mécanisme régulateur neutre et dépourvu de valeurs spécifiques. En fait, pour les raisons mentionnées plus tôt, la «Bourse aux idées» commerciale montre une tendance très marquée à entériner les idées favorables au *statu quo* et à marginaliser les opinions sociales dissidentes. Le marché tend à reproduire l'inégalité sociale économique, politique

---

3. William Leiss, Stephen Kline et Sut Jhally, *Social Communication in Advertising*, deuxième édition, Nelson Canada, Scarborough, ch. 10.

4. Norman Solomon, «Hucksters are milking a Sacred Media Cow», chronique parue dans plusieurs journaux, 23 novembre 1996.

et idéologique. La métaphore de la « Bourse aux idées » sert à mythifier la domination actuelle des compagnies sur notre système de communications et, par conséquent, leur fournit une précieuse protection contre les critiques justifiées de la population et son désir de participer à la mise en place de politiques en ce domaine. Comme David Kairys le faisait remarquer, au XIXe siècle, on a utilisé l'image du marché pour étendre le champ de la liberté d'expression. À la fin du XXe siècle, on utilise l'image de la liberté d'expression pour étendre le champ d'action et le pouvoir du marché. La dernière génération au pouvoir a étendu la portée du Premier Amendement de manière à protéger le discours commercial (la publicité) et les activités rentables contre la réglementation du gouvernement en faisant de ce *discours* une partie de la Constitution, ce qui le place hors d'atteinte de l'examen politique[5]. (À titre d'exemple de ce que nous pouvons attendre de la « liberté d'expression » des entreprises, signalons qu'en 1996, les compagnies de transformation alimentaire ont intenté des procédures judiciaires pour faire valoir que l'obligation de révéler le détail du contenu des aliments sur leurs étiquettes constituait une violation des droits que leur confère le Premier Amendement.

---

5. *Voir par exemple* Paul M. Barrett, « Supreme Court Makes It Harder to Limit Ads », *The Wall Street Journal*, 14 mai 1996, p. B1.

Les procédures sont toujours pendantes[6].) Cette interprétation à courte vue du Premier Amendement, qui donne au marché tous les droits, a eu pour conséquence malheureuse d'élargir le contenu formel de la liberté d'expression tout en réduisant le champ réel et la qualité du débat politique[7].

Dans ce qu'il a de pire, le marché commercial apporte une touche de l'univers d'Orwell à la notion de « marché libre des idées » inspirée par John Milton et Stuart Mill. La vérité en tant que telle perd son sens intrinsèque. Plutôt que quelque chose que l'on respecte et discute, la vérité est mise aux enchères et adjugée au plus offrant, elle est achetée et vendue. Sur le marché commercial des idées, une chose devient « vraie » si l'on parvient à faire croire à la population qu'elle est vraie. Et si l'on tente de faire croire quelque chose à la population, c'est pour en tirer profit à ses dépens. Par exemple, l'idée que boire une bière d'une marque donnée rend plus athlétique, plus attirant sexuellement et permet d'avoir plus d'amis est manifestement fausse. Mais si quelqu'un parvient à en « convaincre » la population et que celle-ci se met à acheter cette bière, l'idée devient vérité et le créateur du message est dûment récompensé. (En fait, celui qui dénoncerait

---

6. Molly Ivins, « New populism says America is ours, and we want it back », *The Capital Times,* 2 décembre 1996, p. 1C.

7. *Voir* Herbert I. Schiller, *Culture, Inc.,* Oxford University Press, New York, 1989.

ce message au nom de la vérité serait congédié.)
Cet état d'esprit envahit aussi le discours politique
conventionnel, tout comme la préparation des campagnes électorales qui consiste maintenant à rechercher quels faits sortis de leur contexte, quelles demi-
vérités et quels mensonges éhontés peuvent être
utilisés avec succès contre un adversaire. Avec la
généralisation de cette notion de la « vérité », le sens
d'une morale commune à tous décline et la fonction
des communications consiste à défendre des intérêts strictement personnels. Les conséquences pour
la démocratie sont désastreuses.

Comme nous l'avons déjà dit, la profession de
journaliste se fonde sur la proposition que l'information ne doit pas être influencée par les facteurs
du marché. L'information ne devrait ni s'acheter
ni se vendre. Dès l'instant où le journalisme reconnaît que la profession est essentiellement influencée
par les besoins des annonceurs ou des propriétaires
plutôt que par les besoins de la population, il perd
immédiatement sa légitimité. Cependant, le code
de déontologie du journalisme est assez élastique
et les valeurs commerciales en ont toujours fait partie, quoique discrètement. Tout cela est en train de
changer. Le fulgurant assaut commercial porté dans
tous les coins et recoins de la culture américaine,
qu'il s'agisse des écoles, du sport, des musées, du
cinéma ou d'Internet, a effacé les distinctions traditionnelles entre service public et mercantilisme.
Durant les 10 dernières années, cette évolution s'est

combinée au désir des médias d'imposer un journalisme qui mise sur le sensationnel. Bien que cette commercialisation de l'information n'ait soulevé que des critiques et des commentaires superficiels, les journalistes ou les critiques dans les médias de masse ne font presque pas d'efforts pour expliquer les raisons d'un tel phénomène et ce qui pourrait être entrepris pour procéder aux modifications structurelles propres à régler le problème. En réalité, c'est la réaction organique des compagnies de médias à la logique qui sous-tend le marché commercial des idées : si le public ciblé consomme l'information, si la production de cette information est relativement bon marché, si les puissants ne s'en trouvent pas affectés négativement et si les annonceurs et les propriétaires l'approuvent, c'est-à-dire si tout cela constitue une entreprise lucrative, alors c'est de l'information. Si bien que l'on verra à profusion le procès d'O. J. Simpson, la vie des stars, des faits divers mettant en cause des comportements bizarres et des catastrophes aériennes, mais qu'on accordera très peu d'attention aux affaires publiques si ce n'est pour rendre compte de l'opinion de l'élite, pas plus d'ailleurs qu'aux agissements d'agences gouvernementales secrètes (et discrètes) ou aux puissantes institutions économiques.

Mais que dire de l'affirmation que les médias de divertissement — qui ne sont d'aucune manière mandatés comme service public en dehors du marché — « donnent à la population ce qu'elle désire» grâce à leur propre désir de réaliser un maximum de profits? Tout simplement qu'elle est fausse. S'il est une chose que les gens ne souhaitent pas, c'est bien les messages publicitaires qui s'insinuent dans les films, dans les émissions de télévision, dans le sport ou n'importe où ailleurs. En réalité, le but premier des médias de divertissement est de «donner aux annonceurs ce qu'ils désirent» plutôt qu'à «la population». Et l'on sait fort bien que les besoins de la population et ceux des annonceurs sont loin d'être interchangeables.

En outre, cette idée que les médias commerciaux de divertissement «donnent à la population ce qu'elle désire» transforme la complexité de la production commerciale de la culture en image simpliste d'un public doté de tous les pouvoirs qui aboie ses ordres aux médias obéissants. Certes, les médias commerciaux prennent en considération quelques aspects des désirs de leur auditoire, mais cela ne représente qu'un seul des nombreux facteurs qui entrent en ligne de compte dans leur production. En dernière analyse, le fait est que les médias commerciaux produisent ce qui est le plus rentable et ce qui satisfait leurs propres intérêts. Lorsque les géants des médias constatent que la population consomme en fonction des choix qui lui sont offerts, ils déclarent qu'ils sont en train de satisfaire la demande populaire. Si certains trouvent qu'on ne propose que des imbécillités, le raisonnement reste le même: c'est simplement parce que les gens sont des crétins qu'ils exigent de telles foutaises. Mais ce raisonnement tourne en rond, car il n'existe aucune preuve que le choix proposé corresponde à quelque chose d'inné chez le public. « On nous dit que c'est ce que veut le public », faisait remarquer Albert Camus en 1944 dans un article sur la déontologie des médias. « Non. Ce n'est pas ce que le public veut, c'est ce qu'on l'a amené à vouloir... ce qui n'est pas la même chose[8]. » Par exemple, si le public n'était pas constamment soumis à un régime de scènes de violence, le marché de la violence ne serait-il pas plus limité ? Et dans cette éventualité, est-il prudent que la politique sociale permette aux géants des médias et à des valeurs uniquement commerciales de dicter le contenu de leurs productions ?

Une des raisons majeures qui explique le succès de l'idéologie du marché dans le secteur des communications, comme dans toute la société, est le mythe qui veut que, d'une certaine manière, peu importe les faiblesses du marché, il n'existe pas de meilleure option. L'effondrement des diverses solutions de rechange au capitalisme, dit-on, en évoquant non seulement les régimes totalitaires communistes de style soviétique, mais aussi les régimes sociaux-démocrates comme celui de la Suède, indique qu'il n'existe pas d'autre solution que l'économie de marché. Nous serions à la « fin de

---

8. Je remercie Scott Sherman de m'avoir fourni cette citation tirée du journal français *Combat*.

l'Histoire». En dépit de tout, ces raisonnements ressemblent plus à des excuses qu'à des explications. Dans le seul domaine des médias, il existe des exemples impressionnants de services publics de communication. D'une façon générale, l'effondrement de la sociale-démocratie résulte moins des faiblesses du socialisme que de l'incapacité du capitalisme de permettre l'existence d'un secteur public démocratique puissant qui réponde tout autant aux besoins de la population qu'à ceux du milieu des affaires. Il semble que ce soit là une perspective qu'à un certain moment, aucune économie politique de marché ne puisse tolérer. C'est pour cette raison que les partisans de l'idéal démocratique doivent se mobiliser afin de créer une économie politique qui soit compatible avec la démocratie. Si l'économie de marché ne peut pas le faire, il faut remplacer l'économie de marché ou freiner ses pouvoirs.

Il ne faut pas non plus exagérer la puissance du marché. Il se peut bien que le marché soit une «religion civique», mais on constate que la foi dans le marché diminue au fur et à mesure que l'on descend dans l'échelle sociale. Pour la plus grande partie de la population américaine, le passage débridé au «libre marché», au cours des années 1980 et 1990, a été une expérience très négative et pour une importante minorité, une expérience désastreuse. Ce sont les «classes qui ont la parole», la classe supérieure, les milieux les plus aisés de la classe moyenne et les intellectuels, qui se sont montrées fascinées par le génie du marché et les plus disposées à se débarrasser des programmes sociaux. Dans leur vanité, elles s'imaginent parler au nom de tous. Même ceux qui se réclament de la droite chrétienne ont trouvé difficile de vendre à leurs partisans de la classe moyenne et de la classe ouvrière l'idéologie du libre marché, car si ces derniers peuvent s'avérer « conservateurs » sur certains points, ils sont les premiers à savoir à quel point l'assurance chômage, la sécurité sociale, les soins médicaux pour les personnes âgées et l'assistance sociale sont importants. En outre, il se pourrait très bien que de nombreux prétendus conservateurs, chrétiens ou autres, soient ouverts à l'idée que c'est le marché, le mercantilisme et la publicité, au même titre que toutes les âneries libérales, qui sont responsables des désastres familiaux, de la disparition des communautés et des valeurs traditionnelles. Par conséquent, accepter de situer le marché en dehors du débat politique, c'est accepter d'éliminer complètement tout débat politique qui a du sens. Cette attitude fait le jeu des pouvoirs établis. Et comme l'ordre social est en crise à des degrés divers en ce qui concerne la critique du *statu quo,* tant à l'échelle nationale que mondiale, cela ouvre la porte aux intégristes et aux ultranationalistes de toute espèce qui accusent la démocratie de vicier les lois du marché et qui menacent de faire régresser l'humanité jusqu'à un niveau de barbarie sans précédent.

Si le marché en est incapable, quel peut donc être le moyen véritablement démocratique de mettre sur pied une réglementation des communications, en particulier à une époque de bouleversements technologiques comme la nôtre ? L'Histoire met en lumière un principe fondamental : les citoyens doivent déterminer la nature de leur système de communications au cours d'un débat politique approfondi et ouvert, c'est-à-dire précisément le contraire de ce qui a conduit à l'adoption de la Loi sur les télécommunications. L'idée de la participation populaire est-elle à ce point absurde ? Certainement pas. À la fin des années 1920, devant la commercialisation rapide des ondes américaines et canadiennes, le Canada a organisé précisément un tel débat public sur la radiodiffusion avec audiences publiques dans 25 villes des neuf provinces. La décision finale d'adopter un système à but non lucratif a été prise trois ans plus tard, après de vigoureux débats[9].

En matière de politique des communications, donner la priorité à la démocratie plutôt qu'à la recherche du profit signifie aussi qu'on puisse contrôler rationnellement le rythme auquel s'installent les innovations technologiques, en tenant compte des conséquences sociales, culturelles et politiques de longue durée. Comme les effets collatéraux du

---

9. Mary Vipond, *Listening In : The First Decade of Canadian Broadcasting, 1922–1932*, McGill University Press, Montréal, 1992.

marché, chacune des technologies majeures en matière de communications a des conséquences sociales considérables, inattendues et imprévues — comme c'est le cas pour la télévision, par exemple — et une politique démocratique devrait chercher à en tenir compte au mieux de nos capacités. Même les étudiants du secteur des communications ou ceux qui y travaillent n'ont pas une idée claire de ce à quoi ressemblera notre société lorsque tout sera informatisé et numérisé. «Tout sera différent», reconnaît Reed Hundt, le président de la CFC. «Le changement est si radical que beaucoup de personnes n'en ont pas saisi l'ampleur [10].» À chaque célébration utopique de l'ordinateur et de sa technologie, on peut opposer de nombreuses visions sinistres d'un avenir atomisé, inhumain et antisocial qui, vu les prémisses sociales les plus réalistes sur lesquelles elles se fondent, s'avèrent fort plausibles. Tout cela constitue le genre de problèmes complexes qu'il est nécessaire d'aborder et de résoudre publiquement sans attendre : il faut réfléchir avant de se jeter à l'eau. Pourtant, ces problèmes sont de ceux pour lesquels le marché, aveuglé par la course au profit, ne manifeste aucun intérêt.

---

10. Joel Brinkley, «Defining TV's and Computers For a Future of High Definition», *The New York Times,* 2 décembre 1996, p. C1.

Chapitre VIII

La droite à l'assaut des médias « libéraux »

Si le discours politique prédominant aux États-Unis remet rarement en question les effets sur les médias de la mainmise des compagnies, de la course aux profits ou de la publicité, en revanche, les débats sur les mérites des médias tels qu'ils existent sont inscrits dans la culture politique. La question dont on discute beaucoup est celle de savoir si les médias manifestent une orientation « libérale », voire de gauche, qui s'oppose aux intérêts du milieu des affaires. Depuis les années 1960 au moins, cette question a été fréquemment abordée dans les milieux conservateurs aux États-Unis. Plus récemment, Bob Dole, candidat républicain à la présidence, a utilisé cet argument pour expliquer l'absence d'adhésion massive des électeurs à sa cause. Apparemment, les électeurs de 1996 se ralliaient à cette tendance

« libérale » des médias, tendance qu'ils avaient systématiquement rejetée lors de la victoire écrasante des républicains en 1994.

Quel est le fondement de cet argument ? Selon l'analyse des conservateurs, la seule variable indépendante qui affecte le contenu de l'information est le parti pris politique résolument libéral des reporters et des rédacteurs [1]. Les conservateurs s'appuient sur des sondages indiquant que les journalistes ont tendance à voter pour les démocrates bien plus souvent que pour les républicains. Par exemple, un sondage de *Freedom Forum* révèle que sur 139 membres de la profession à Washington, plus de 80 pour cent ont voté pour Bill Clinton en 1992. Le point de vue selon lequel les journalistes seraient des libéraux n'a rien de saugrenu, si l'on se fie à l'Histoire. Comme l'a fait remarquer Herbert Gans, l'idéologie du journalisme professionnel contient les valeurs politiques de l'ère progressiste. Elle comporte donc une certaine sympathie pour la cause du capitalisme concurrentiel et une grande méfiance à l'égard de la ploutocratie. C'est la raison pour laquelle le journalisme a eu tendance à pen-

---

1. *Voir par exemple* L. Brent Bozell III et Brent H. Baker, *And That's The Way It Isn't,* Media Research Center, Alexandria, 1990 ; William A. Rusher, *The Coming Battle for the Media,* William Morrow & Co., New York, 1988 ; S. Robert Lichter, Stanley Rothman et Linda S. Lichter, *The Media Elite,* Adler & Adler, Bethesda, 1986.

cher vers l'aile libérale de l'opinion publique et a attiré dans la profession ceux qui partageaient ce point de vue.

Cela signifie-t-il pour autant que les médias aux États-Unis aient une tendance libérale, voire de gauche, et soient hostiles aux intérêts du milieu des affaires? Pas vraiment. On compte de nombreuses failles dans le raisonnement des conservateurs, mais l'une d'elles le fausse irrémédiablement. Leur raisonnement est faux parce qu'il repose sur une modification subtile de la définition du libéralisme. Dans de nombreux cas, les conservateurs se servent de l'opinion libérale sur les « questions sociales », telles que les droits des femmes et des homosexuels ou les libertés fondamentales, comme d'un critère leur permettant de déterminer qui est libéral et qui est conservateur. Or fréquemment, les journalistes, en particulier à mesure qu'ils accèdent aux plus hauts salaires réservés à l'élite, deviennent assez conservateurs sur des questions telles que le commerce, les impôts et les dépenses gouvernementales consacrées au secteur social. En outre, il n'est pas évident que le fait de s'opposer à la mise en place d'un test obligatoire de dépistage de drogues, à la criminalisation de l'avortement ou bien encore à l'obligation du serment au drapeau soit nécessairement l'expression d'un point de vue « libéral ». Le conservatisme, dans ses meilleurs moments, s'est traditionnellement opposé à l'intervention de l'État dans les affaires privées. Mais les conservateurs américains contemporains sont d'un autre genre. L'État peut avoir carte blanche pour réglementer certains comportements, surveiller les activités de certains individus et mettre en place un système pénal gigantesque. L'État peut également accorder des subventions considérables aux compagnies par ses dépenses militaires, ses impôts et de nombreux autres mécanismes. En fait, les conservateurs américains d'aujourd'hui ne manifestent pas la moindre inquiétude devant l'énorme pouvoir détenu par des compagnies gigantesques qui n'ont de comptes à rendre à personne, bien que ceux qu'ils ne cessent d'invoquer pour maîtres à penser, comme Adam Smith par exemple, aient été très conscients des problèmes qu'entraînent la concentration de la richesse et le pouvoir des compagnies. Pour eux, le seul principe qui apparaît comme absolu est que l'État ne doit pas se mêler des prérogatives des riches et du milieu des affaires ni utiliser de l'argent d'une manière qui avantagerait en premier lieu les pauvres et la classe ouvrière.

Par ailleurs, si l'on considère que les journalistes sont des libéraux, alors il faut restreindre le sens du mot libéralisme pour qu'il ne désigne plus que l'opinion de l'aile «gauche» de l'élite qui adhère résolument au capitalisme et au maintien des relations sociales telles qu'elles existent chez nous. Les conservateurs font une erreur de jugement en amalgamant sous la même bannière de gauche les libéraux et les radicaux, bannière qui réunit sans discernement Bill Clinton et le sous-commandant Marcos de l'armée zapatiste. Actuellement, il n'y a pas de place pour l'expression d'authentiques principes de gauche fondés sur une position de classe, sauf sur un mode caricatural. En fait, l'abîme qui sépare la politique et la culture des médias aux États-Unis se situe entre ceux qui naviguent dans l'univers de l'élite et de son opinion — c'est-à-dire l'univers des conservateurs et des libéraux — et ceux qui sont à l'extérieur, qui analysent le monde en termes de pouvoir de classes et qui, par définition, sont des radicaux. En plus de l'amalgame qu'ils font entre les radicaux et les représentants de l'aile libérale de l'élite, les critiques conservateurs des médias soutiennent que ces libéraux/radicaux sont actuellement au pouvoir, alors qu'eux — les conservateurs financés par les grandes fortunes et le monde des affaires — font partie de la couche sociale des opprimés. Pour que ces conservateurs «populistes» puissent réussir politiquement, il faut absolument que la «solution de rechange» à leur position ne soit pas celle du socialisme ou de la classe ouvrière, mais plutôt celle du libéralisme élitiste du monde des affaires, du Parti démocrate et du *New York Times.*

C'est là que la critique des conservateurs contre les médias «libéraux» touche une corde sensible et peut faire naître la sympathie. Les conservateurs sont capables de s'appuyer sur un ressentiment sincère à l'égard d'un système de médias aux mains des compagnies, dont l'image donnée au public est celle de journalistes millionnaires, arrogants et célèbres, qui se permettent de parler au nom du peuple. Mais la critique des médias par les conservateurs tend à dégénérer en un jeu de pile ou face : « pile, je gagne, face, tu perds ». On attribue alors au parti pris des journalistes toute critique des médias adressée aux conservateurs privilégiés ou toute prise de position trop indulgente à l'égard de l'ennemi libéral. Les conservateurs ne tentent jamais de définir un critère fondé sur des principes, leur démarche se réduit à faire pression par tous les moyens pour obtenir une meilleure couverture de la politique de droite.

En réalité, les journalistes ne sont presque jamais des radicaux. Parmi eux, quelques progressistes sincères ont survécu, qui ont fait du bon travail au fil des ans en tirant parti des vestiges de l'autonomie journalistique. La situation est devenue encore plus difficile ces dernières années avec le virage à droite de l'opinion de l'élite qui a entraîné à sa suite le « libéralisme » journalistique. Que de nos jours, Bill Clinton soit présenté comme le porte-drapeau du « libéralisme » alors que son administration est sans doute aussi favorable aux compagnies que n'importe quelle autre administration récente, cela est le signe le plus évident du degré de pauvreté qu'a atteint le débat politique aux États-Unis. (En fait, pour chaque dollar de contribution que le Parti démocrate, prétendument hostile aux affaires, recevait pour sa campagne électorale de 1996 de la part des organisations ouvrières, il en recevait 10 de la part des compagnies[2].) Placés sous les contraintes commerciales des compagnies et les réductions d'effectifs qui pèsent sur leur profession, les journalistes hésitent à manifester leur opposition à la politique que soutiennent leurs patrons, quelle qu'elle soit, de peur d'éveiller leur hostilité. Pour la plupart, dans la mesure où ils décident de l'information, les journalistes mènent contre leurs sources d'information et l'industrie des relations publiques une lutte difficile pour obtenir le contrôle de l'information. Bref, l'autonomie de la profession a été détruite.

Un autre facteur qui a joué un rôle décisif dans le virage à droite du journalisme est l'excellent financement dont ont bénéficié les médias de droite et leurs campagnes idéologiques, ces 20 dernières années. Grâce à un gigantesque apport financier fourni par une douzaine de fondations conservatrices de première importance, parmi lesquelles figurent celles de Bradley, de Scaife et d'Olin, les groupes conservateurs ont mis au point un dispositif très élaboré de relations publiques pour faire passer leurs positions dans les médias[3]. Pour une

---

2. Jeff Gerth, « Business Gains With Democrats », *The New York Times,* 25 décembre 1996, p. A11.

3. Robert Parry, « Lost History : Rise of the Right-Wing Machine », *The Consortium,* 25 novembre 1996, p. 3–5.

très large part, le culte du marché et le mépris manifesté envers le gouvernement en tant qu'instrument de progrès sont le résultat de cette cuisine politique. Rien de semblable n'existe dans la gauche politique. Les « experts » conservateurs bien payés expriment leur opinion dans les médias sur presque toutes les questions qui se présentent. Les pontifes conservateurs dominent les émissions de discussion à la télévision et à la radio et s'allient à des centristes qui se sentent fort à l'aise dans les dédales du pouvoir des compagnies. Il est ironique de constater que les nombreux conservateurs qui s'expriment à la télévision et à la radio noient le public sous leurs boniments destinés à le convaincre que les médias sont de « gauche » et « partisans ». Pourtant, il est presque impossible de déceler le moindre signe de critique de gauche du journalisme dans les grands médias.

Dans une certaine mesure, l'importante visibilité que les médias de masse accordent à la critique des journalistes dits libéraux est nécessaire à la bonne marche du système, car elle fournit la preuve de l'existence d'une « opposition loyale » qui démontre que le journalisme est bagarreur et démocratique. Elle flatte les journalistes par un discours qui les définit comme *les* personnes responsables du choix de l'information. Leur seul problème serait d'être trop sévères à l'égard des compagnies et de l'armée — les puissants — et trop compatissants à l'égard des pauvres, des minorités, des femmes et de l'environnement. Parmi les reproches qu'on peut leur adresser, l'accusation de « libéralisme » est loin d'être une insulte à leurs yeux alors que le contraire leur serait complètement inacceptable. Comme l'a dit Noam Chomsky, les journalistes *doivent* être des « libéraux » pour qu'un système de communications soit crédible. Dans ce sens, si la critique des médias par les conservateurs n'existait pas, il faudrait l'inventer.

La critique des médias qui émane de la gauche est très différente. En suggérant que les journalistes sont relativement impuissants devant les facteurs institutionnels qui ont pour effet de produire un journalisme insipide, incapable d'assurer sa mission propre et qui défend les intérêts de l'élite, elle remet en question la légitimité de tout le système actuel des géants des médias. La critique de gauche ne paraît presque nulle part. Lorsqu'il lui arrive de paraître dans les médias de masse, elle est habituellement accompagnée d'une critique des conservateurs. C'est à cette occasion que les journalistes peuvent proclamer : « Voyez, nous sommes attaqués de toutes parts, c'est donc que nous faisons les choses comme il faut. » La thèse de l'assaut de « toutes parts » est absurde. Tous les systèmes de communications font naître des critiques issues des diverses tendances dans l'éventail politique. Il est probable que même les médias nazis avaient leurs critiques qui ne les trouvaient pas suffisamment nationalistes ou qui les trouvaient trop modérés à l'égard des Juifs et des communistes. Doit-on en déduire pour autant que les nazis «faisaient les choses comme il faut»? Bien sûr que non. La manière d'évaluer correctement les médias passe par une analyse détaillée qui se fonde sur des faits.

Cela nous conduit à l'erreur fondamentale de la thèse des conservateurs sur la prétendue tendance «libérale» des médias, celle qui soutient que les rédacteurs et les journalistes ont une maîtrise presque complète de ce qui se passe au niveau de l'information. À partir de là, la conclusion s'impose d'elle-même : puisque les journalistes ont tendance à être libéraux, l'information est libérale. Dans l'«analyse» conservatrice, les facteurs institutionnels que constituent le pouvoir des compagnies, la recherche du profit et le financement publicitaire sont sans effet sur le contenu. Au pis aller, la critique des conservateurs est une variante de l'analyse traditionnelle de l'extrême droite des situations sociales, qui néglige l'étude des institutions sociales et tente de trouver des boucs émissaires pour expliquer des résultats insatisfaisants. (Cette méthode est encore plus évidente — et d'autant moins crédible — quand les conservateurs prennent pour cible la bêtise des valeurs matérialistes des productions de divertissement. Même sans assigner à un groupe en particulier le rôle de défendre l'intérêt public contre les valeurs commerciales, leur analyse passe toujours sous silence le rôle que jouent la course au profit et la publicité. Plutôt que de s'en prendre aux journalistes libéraux, ils accusent des individus immoraux, issus de la contre-culture des années 1960, de s'être emparés d'Hollywood et d'imposer à la population des émissions malsaines et stériles pour la plupart, à l'insu des propriétaires et des annonceurs[4].) Aucun intellectuel ou presque ne soutient cette thèse, même pas chez les analystes des médias de masse qui n'éprouvent aucune sympathie pour les positions de gauche. L'idée que le journalisme puisse en toute impunité présenter régulièrement un produit contraire aux intérêts primordiaux des propriétaires des médias et des annonceurs est dénuée de tout fondement. Elle est absurde.

Par analogie, prenons l'exemple de la presse pendant l'ère poststalinienne dans l'ex-URSS. Les journalistes les plus renommés qui travaillaient à la *Pravda*, à l'*Izvestia* et à l'agence Tass étaient relativement à l'abri de toute censure et de harcèlement de la part du Parti communiste et de l'État qui étaient pourtant leurs employeurs et les subventionnaient. Dans l'ensemble, ces journalistes soviétiques de renom avaient probablement, eux aussi, des opinions libérales au sujet des droits fondamentaux, du moins selon les normes soviétiques. Il se peut

---

4. *Voir* Michael Medved, *Hollywood vs America : Popular Culture and the War on Traditional Culture,* Harper-Collins, New York, 1992. Pour une version plus subtile concernant cet argument, *voir* S. Robert Lichter, Linda S. Lichter et Stanley Rothman, *Watching America,* Prentice Hall, New York, 1991.

très bien qu'ils aient représenté la tendance «libérale» du Parti communiste. Cependant, bien qu'il y ait eu des débats dans la presse soviétique, on n'y tolérait jamais que soient exprimés d'autres points de vue que ceux des factions dominantes du Parti communiste. Alors que la presse pouvait se permettre de démolir des commissaires corrompus ou incompétents, elle ne pouvait exprimer aucune critique du communisme lui-même. Dans les rares cas où un journaliste soviétique a transgressé les limites qui lui étaient imposées, il a été relégué au second plan ou puni encore plus sévèrement. De rares exemples ont fourni autant d'occasions d'adresser un message évident aux autres journalistes qui souhaitaient réussir. Lorsque les journalistes accédaient à l'échelon supérieur, ils avaient en général intériorisé les valeurs journalistiques requises pour réussir, soit parce qu'ils n'avaient jamais songé à les analyser, soit parce qu'ils les avaient considérées comme bénéfiques et appropriées. En dépit du fait que la société américaine est infiniment plus libre que l'ancienne société soviétique, c'est la même attitude qu'on trouve dans les salles de rédaction sur les questions-clés des rapports qu'entretiennent les journalistes avec les valeurs des propriétaires et des annonceurs, ainsi que sur les relations du journalisme avec le capitalisme et l'opinion de l'élite.

La vraie nature de la relation qu'entretiennent les médias aux États-Unis avec l'élite au pouvoir est apparue d'une manière particulièrement frappante en 1996, lorsque le journal *San Jose Mercury News* a publié un reportage remarquable en trois parties suggérant que la CIA avait travaillé avec les revendeurs de cocaïne à Los Angeles afin d'aider au financement des *Contras,* appuyés et dirigés par la CIA, contre le gouvernement du Nicaragua pendant les années 1980. Si les faits se révélaient exacts, ce reportage revenait à mettre en cause la poursuite des activités de la CIA et les médias qui ne les avaient jamais remises en question. Malgré les imperfections que comportait la série d'articles du *Mercury News,* d'autres enquêtes menées par ITV et *The Independant* en Grande-Bretagne ont laissé entendre qu'en réalité, ces articles avaient même sous-estimé l'implication de la CIA dans le trafic des narcotiques. Pourtant, les médias de l'élite, par exemple les journaux «libéraux» comme le *New York Times,* le *Washington Post* et le *Los Angeles Times* ont d'abord passé ces révélations sous silence, en dépit du fait qu'habituellement, ils préservent un certain équilibre dans l'information en se donnant pour rôle de décider pour tous les autres médias quelles informations ont droit à la qualification de «légitimes». Par la suite, lorsqu'il s'est avéré qu'ils ne pouvaient plus poursuivre cette tactique en raison des pressions exercées par le groupe des représentants noirs au Congrès et par la communauté afro-américaine, ces journaux ont déployé tout un arsenal d'arguments afin de discréditer la nouvelle. En fait, à l'exception d'un ou deux cas dignes de mention, les médias de l'élite n'ont jamais enquêté sur les activités de la CIA, alors que pour un journalisme se réclamant des normes d'une presse libre, cette très importante agence gouvernementale ultrasecrète devrait être une cible naturelle d'investigation. Ajoutons à cela que, depuis des dizaines d'années, des documents sont venus établir la preuve de l'implication de la CIA dans le trafic de la drogue, dans des assassinats politiques ainsi que de sa collaboration avec des groupes antidémocratiques soupçonnés d'affiliation fasciste et d'extrême droite [5].

Étant donné ces circonstances, comment se fait-il que nos médias n'enquêtent jamais sur la CIA? Le premier objectif de la CIA est de faire discrètement et frauduleusement progresser dans le monde les intérêts des États-Unis, des intérêts que l'élite considère comme les mêmes que ceux des compagnies. Le but est donc de créer un environnement politique favorable aux investissements susceptibles de produire des profits, sans tenir compte des coûts sociaux. Il est vrai que, dans l'élite politique et économique, certains contestent parfois les tactiques de la CIA, mais tous s'accordent pour dire qu'il s'agit d'une agence indispensable. Pour l'élite, la populace n'a pas à débattre de la question de l'existence de la CIA, car elle risque de ne pas se rendre

---

5. *Voir* Kathryn S. Olmstead, *Challenging the Secret Government,* The University of North Carolina Press, Chapel Hill, 1996.

compte que cette agence est indispensable. Par conséquent, puisqu'il n'est pas nécessaire d'informer
les gens ni qu'ils se sentent concernés par un problème dont il vaut mieux laisser la charge à l'élite,
il va de soi que la presse n'a pas besoin de traiter de
ce sujet. Tout comme il n'était pas nécessaire d'avoir
une politique qui empêchait explicitement les
médias de l'élite soviétique d'examiner les activités
du KGB, il n'est pas nécessaire non plus que les
propriétaires et les directeurs des grandes compagnies donnent des directives aux rédacteurs et aux
reporters leur enjoignant de ne pas s'occuper des
affaires de la CIA. Il s'agit d'une attitude qui, grâce
à l'utilisation de mécanismes institutionnels intério-
risés, est jugée « naturelle », « responsable » et comme
« allant de soi ».

Par conséquent, pour tenter de discréditer le reportage du *Mercury News,* les médias de l'élite ont
déclaré qu'il fallait leur procurer des preuves pour
ainsi dire irréfutables de la culpabilité de la CIA
avant même qu'ils ne décident de se lancer dans
une enquête. Une pareille exigence n'a aucun sens ;
si elle était toujours appliquée, il serait pratique-
ment impossible de trouver une seule question
digne d'enquête journalistique. En réalité, nous
sommes en présence de l'abdication du journalisme
devant les intérêts de l'élite. Les illuminés qui nour-
rissent l'idée folle que les activités de la CIA devraient faire l'objet d'une enquête sont ridiculisés
et traités de paranoïaques, et ceux qui décident

d'enquêter savent très bien qu'ils compromettent leur avenir professionnel ou même, qu'ils risquent leur carrière. Les journalistes qui réussissent le mieux ont intériorisé la notion qu'enquêter sur la CIA est complètement saugrenue, même si l'idée leur effleurait l'esprit. Les critiques conservateurs des médias approuvent sans réserve l'opinion que la CIA ne doit pas être soumise à l'examen public, car leur véritable but est de protéger le pouvoir des compagnies et non pas la population contre un «gouvernement tout-puissant». Ils hurlent donc d'indignation contre le parti pris libéral des médias lorsque paraissent des articles comme ceux du *San Jose Mercury* et ce, afin de discréditer les articles et d'exiger la rétraction des journalistes. Dans de tels cas, lorsque la question traite directement de la légitimité de l'élite et du pouvoir des compagnies, et lorsque l'élite fait front commun, les conservateurs font bon ménage avec leurs adversaires «libéraux».

En fait, les critiques conservateurs savent beaucoup mieux que ce qu'ils laissent supposer dans leurs déclarations publiques quel est le rôle crucial de la propriété et du contrôle des médias dans le choix du contenu de l'information. Ils insistent sur le rôle décisif que jouent les rédacteurs et les journalistes en tant que facteur indépendant dans le choix du contenu de l'information, car ceux-ci sont les seuls qui pourraient empêcher le journalisme d'être explicitement au service des compagnies. On pourrait soutenir que, dans son ensemble, le projet des conservateurs cherche avant tout à briser l'autonomie journalistique pour mettre en place un journalisme faible, qui s'incline non seulement devant les intérêts des propriétaires et des annonceurs, mais également devant ceux des riches et des puissants en général. Pensez-vous que cela soit exagéré ? Lorsque Jesse Helms dirigeait la tentative d'achat de CBS, pendant les années 1980, son slogan était : « Nous voulons devenir le patron de Dan Rather. » En 1995, un critique conservateur des médias comme Newt Gingrich incitait les propriétaires des médias et les annonceurs les plus importants à attaquer vigoureusement les « socialistes » dans les salles de rédaction, afin que l'information soit conforme à leur ordre du jour [6].

Cela explique la véritable obsession des conservateurs de détruire ou du moins d'intimider la radiodiffusion à caractère non lucratif et non commercial. Ils sont pleinement conscients que le marché censure implicitement le journalisme et le confine dans le champ toujours plus étroit qu'ils considèrent comme acceptable. Les conservateurs craignent l'existence d'un journalisme libéré des impératifs de profit et de soutien commercial. Il est vrai que, la plupart du temps, le journalisme des diffuseurs publics et des émissions d'affaires publiques ne peut se distinguer du journalisme commercial. Cependant, il arrive que certaines nouvelles passent

6. *Extra !*, mars-avril 1995, p. 2. Je remercie Jeff Cohen de m'avoir fourni la citation de Jesse Helms.

au travers des mailles du filet et que les diffuseurs publics produisent des émissions qui n'auraient jamais pu voir le jour dans les médias commerciaux. C'est particulièrement évident pour la radio publique et pour certaines des stations communautaires les plus progressistes qui auraient le plus à souffrir de la perte des subventions fédérales.

L'assaut de la droite contre le journalisme et la radiodiffusion publique ne constitue pas un phénomène isolé ni même exceptionnel. Il fait partie d'une bataille livrée sur tous les fronts contre les institutions qui possèdent une certaine autonomie par rapport au marché et aux lois du capitalisme. C'est ainsi que les bibliothèques et l'instruction publiques sont visées et courent le risque d'être privatisées et contraintes d'abandonner les principes mêmes qui ont présidé à leur création. Les projets d'écoles subventionnées par la publicité et centrées sur le profit — des projets que l'on aurait considérés comme obscènes il y a 10 ans à peine — sont maintenant au cœur des débats politiques sur l'éducation. Le cas qui se rapproche le plus de la question de la diffusion publique est celui de l'instruction supérieure. Dans ce domaine également, la droite parle à n'en plus finir de la police de la pensée et des codes de la rectitude politique du langage de la gauche, alors qu'en fait, la tendance générale dans les universités américaines est d'accentuer l'orientation vers l'enseignement professionnel et de soumettre la recherche aux besoins du marché. Bref, la droite souhaite éliminer l'autonomie de l'université qu'elle veut voir parfaitement intégrée à l'économie capitaliste. Au fur et à mesure que progresse la réalisation de ce but, qui menace parallèlement la radiodiffusion et l'instruction publiques, notre capacité de susciter un débat critique et démocratique dont notre propre avenir est l'enjeu régresse. Le règne du capital évolue vers la domination totale. Les valeurs commerciales s'imposent comme étant des valeurs « naturelles ».

La lutte pour des médias démocratiques

CONFORMÉMENT à la logique de l'espace public, le facteur structurel le plus important pour avoir un système de médias démocratiques, c'est de soustraire le système au contrôle du milieu des affaires et au financement par la publicité. Le gouvernement devra prendre en charge une partie du financement de l'espace public et, en même temps, mettre au point une politique qui encourage la croissance d'un espace public à but non lucratif, non commercial et indépendant de l'État. Des réserves s'imposent quant à l'ingérence gouvernementale dans le système de communications. Le but de la politique à adopter devrait donc être de déterminer comment déployer les ressources technologiques en vue de créer un secteur décentralisé, non lucratif, non commercial, responsable et qui fournirait à l'ensemble de la population un service viable. À une époque comme celle que nous

traversons, marquée par les technologies révolutionnaires comme Internet, qui ont un potentiel
extraordinaire de communications démocratiques,
il est urgent d'arrêter l'appropriation en cours des
communications numériques, qui les met d'abord
et avant tout au service des besoins du milieu des
affaires et des annonceurs. On peut sans doute concevoir plusieurs modèles possibles pour mettre sur
pied des médias et un système de communications
qui soient démocratiques, mais tant que la question
n'est pas à l'ordre du jour des débats politiques,
toute discussion demeure superficielle et hypothé-
tique. Il y a tout lieu de penser que si une société
comme la société américaine consacrait à l'étude
de cette question ne serait ce qu'une petite fraction
du temps qu'elle a consacré à la commercialisation
des communications, il serait possible de trouver
quelques modèles réalisables de service public.

En ce qui concerne le journalisme, la question
politique fondamentale porte sur la manière de
structurer au mieux le système des médias pour
qu'il favorise la diversité des opinions, la liberté
d'expression et l'avènement d'un journalisme d'enquête sans concession devant les pouvoirs établis,
tout en empêchant qu'un secteur de la société, en
particulier les riches, n'acquière une influence exces-
sive. C'est un problème des plus complexes, car les
efforts entrepris pour favoriser la diversité pourraient avoir pour contrepartie de ne pas encourager
un journalisme « chien de garde », et vice versa.

Mais, à la longue, tous les éléments devront être présents pour que chacun puisse prospérer et que s'épanouisse une culture politique démocratique.

Cela ne signifie pas qu'il ne doive pas y avoir de place pour des médias commerciaux, mais simplement que le secteur principal du système ne doit pas avoir de but lucratif ou commercial et qu'il doit rendre des comptes à la population. En outre, dans la mesure où les médias commerciaux et la publicité peuvent jouer un rôle dans un système démocratique, il devraient être soumis à un impôt afin de financer le secteur à but non lucratif et non commercial. Une taxe de 1 pour cent sur la publicité, par exemple, aurait rapporté plus de 1,5 milliard de dollars en 1997. De la même façon, les fréquences allouées à des fins commerciales devraient être louées (jamais mises aux enchères), les recettes pouvant servir à financer les médias à but non lucratif et non commercial. Même selon les estimations les plus prudentes, la location de l'espace des fréquences de radiodiffusion pourrait rapporter entre 2 et 4 milliards de dollars par an. La combinaison de ces revenus fournirait la base sur laquelle pourrait s'édifier une culture viable, voire exceptionnelle et non commerciale. (Une simple comparaison montre qu'en 1997, la contribution *totale* du gouvernement fédéral au financement de la radiodiffusion publique n'a été que de 260 millions de dollars et qu'elle a été réduite à 250 millions de dollars pour chacune des deux années suivantes.)

Le fait que ce secteur non commercial ouvrirait forcément le journalisme et le secteur du divertissement à des thèmes et à des genres actuellement négligés ou ignorés pourrait aussi obliger les géants des médias à enrichir et à élargir leur propre programmation.

En ce qui concerne la vérité et l'authenticité dans le domaine publicitaire, il faudrait édicter des normes bien plus exigeantes que celles qui sont en vigueur. Il faut aussi mettre un terme à l'envahissement publicitaire insidieux dans les moindres recoins de notre existence. (En plus de récolter des revenus pour des médias non commerciaux, une taxe sur la publicité pourrait contribuer à ralentir le flot de la marée commerciale.) Il convient également d'empêcher la publicité d'influencer le contenu. Les mesures appliquées en Europe nous fournissent des exemples sur la manière d'arriver à un tel résultat. La propriété des médias devrait être strictement réglementée afin d'empêcher la formation de chaînes et de conglomérats. La proposition de Ben Bagdikian, qui recommande de ne pas autoriser la propriété de plus d'un média, semble un principe louable. Dans l'optique du marché, cela peut paraître inefficace, mais c'est là un petit prix à payer si l'on prend en considération le bénéfice social qui en découlerait. À ce propos, il n'est pas sans intérêt de remarquer que lorsque les États-Unis ont réorganisé les médias japonais pendant leur occupation du Japon après la Seconde Guerre mondiale, ils ont imposé des limites à leur propriété, car ils s'étaient rendu compte que la concentration du contrôle sur les médias faisait obstacle au développement d'une démocratie politique[1]. Il est temps que les États-Unis utilisent pour eux-mêmes les remèdes qu'ils ont appliqués ailleurs.

Dans un très proche avenir, certains impératifs s'imposeront aux militants dans le domaine des médias. Il faudra lutter pour obtenir la radiodiffusion publique, communautaire et accessible à tous. Il s'agit là d'une lutte qui va bien au-delà de la simple bataille au sein de l'élite pour le contrôle des médias. Il est maintenant plus nécessaire que jamais qu'une politique gouvernementale instaure un système adéquatement financé dans le domaine de la culture et des communications, doté d'un journalisme indépendant. Il faut démanteler le mouvement qui propose d'introduire la publicité dans les services publics de diffusion et exiger des stations publiques qu'elles rendent des comptes aux communautés où elles sont implantées. Si on abandonne le principe du financement public du système de diffusion, il sera encore plus difficile de le rétablir, mais une fois que le principe est acquis, il est possible d'appliquer toutes sortes de mesures inventives pour aboutir à un espace public plus

---

1. D. Eleanor Westney, « Mass Media as Business Organizations : A U.S. Japanese Comparison », *in* Susan Pharr et Ellis Kraus (dir.), *Media and Politics in Japan,* University of Hawaii Press, Honolulu, 1996, p. 54–56.

important et pour politiser notre culture. Il faut nous mobiliser pour établir des normes de service public pour Internet, de façon à en garantir l'accès universel et à en faire un secteur sain, de préférence à but non lucratif et non commercial. Indépendamment des politiques gouvernementales, les individus de même que les organisations à but non lucratif doivent consacrer des ressources importantes aux médias non commerciaux et à but non lucratif, pour appuyer leur journalisme et leurs émissions culturelles. Cela concerne la radio, la télévision, les journaux, les magazines, les vidéos et Internet.

Il importe aussi de continuer à développer la critique des médias de masse et de travailler à améliorer la qualité du journalisme commercial. Bien que les géants des médias penchent lourdement en faveur de la dépolitisation et fassent le jeu des intérêts des puissants, il convient de faire le nécessaire pour assurer le meilleur journalisme possible dans ce domaine qui demeure une arène où se déroule un combat important, comme l'a très bien compris la droite.

La lutte pour un système démocratique de médias sera difficile. Nous sommes en présence d'une opposition qui est riche, puissante et experte dans la guerre idéologique. En pratique, les deux grands partis politiques lui appartiennent. Elle drape ses intérêts les plus crus dans le manteau du culte de la maternité, du drapeau, du Premier Amendement, de la tarte aux pommes et, bien sûr, du mythe du marché. À l'entendre, on pourrait presque croire que l'existence des compagnies de médias, de publicité et de communications sont d'inspiration divine. Comme les compagnies de médias sont également propriétaires de presque tous les moyens d'information, ceux qui militent pour des médias démocratiques ont sans nul doute plus de difficulté à communiquer avec la population que les militants dans d'autres domaines. Malgré tout, la cause n'est pas perdue. Au cours des 10 dernières années, le militantisme dans le domaine des médias, insignifiant au début, a pris beaucoup d'ampleur. Plusieurs organisations qui se donnent pour mission d'observer l'évolution des médias ont vu le jour. La plus importante, *Fairness and Accuracy in Reporting* (FAIR) (Équité et exactitude dans le reportage), a accompli un travail magistral de sensibilisation de la population et des journalistes au problème posé par l'influence abominable qu'exercent sur les médias les compagnies qui les contrôlent, la publicité et la droite. En 1996, au moins deux nouveaux groupes ont vu le jour : le *Cultural Environment Movement* (Mouvement pour l'environnement culturel) et le groupe plus formel de *Media and Democracy,* dont le nom évoque une conférence qui a eu lieu à San Francisco. Ces deux groupes font la promotion de changements structurels pour l'avenir, tout en travaillant dans le cadre de larges coalitions et avec les organisations communautaires.

Pour contribuer à une campagne fructueuse en faveur de la réforme des médias, le plus important est d'y attirer d'autres alliés progressistes. En 1996, les industries des médias, de l'informatique et des télécommunications ont réussi à faire adopter la monstrueuse Loi sur les télécommunications, en bonne partie parce que les groupes qui auraient dû tout naturellement s'organiser pour s'y opposer sont demeurés passifs. De la même façon, la lutte pour des médias non commerciaux et sans recherche de profits sera toujours excessivement difficile si les diffuseurs publics se lancent en campagne sans l'appui d'organisations du milieu. C'est dans les secteurs de la population qui sont déjà conscients de la nécessité de maintenir un espace public non commercial et dans ceux où l'on sait déjà que le système actuel entrave l'épanouissement de la culture et de la démocratie aux États-Unis que nous devons chercher des alliés, en bonne logique. Dans le premier groupe se trouvent notamment les bibliothécaires et les éducateurs, et dans le second évoluent divers mouvements sociaux progressistes qui vont des organisations féministes, des associations de défense des droits et libertés et des écologistes aux artistes, aux groupes religieux et aux libertaires. Ces derniers, en particulier, doivent se rendre à l'évidence que le marché impose une censure tout aussi insidieuse que celle que peut imposer l'État.

Quelle que soit la priorité de mobilisation d'un groupe progressiste, la seconde devrait être les médias et les communications, car tant que les médias demeureront entre les mains des compagnies, réussir à introduire partout des changements sociaux sera extrêmement difficile, sinon impossible. Le problème le plus important que doivent surmonter tous ceux qui contestent les prérogatives des puissantes compagnies vient de ce qu'une vaste majorité d'Américains n'entend jamais parler d'une démocratie qui soit cohérente, systématique, raisonnée, sociale-démocrate, favorable aux travailleurs ou même qui présente les caractéristiques traditionnelles du *New Deal* du Parti démocrate. C'est pourquoi, en fin de compte, toute réforme des médias est inexorablement liée à une réforme sociale et politique plus vaste. Toutes deux font partie d'un même ensemble. Tout parti politique qui prétend agir en faveur de la majorité de la population et s'opposer à la domination des compagnies doit nécessairement intégrer au cœur de son programme un système progressiste de médias et de communications. Enfin, la réforme des médias devra chercher à toucher ces vastes secteurs de la société qui sont dépolitisés ou sous l'influence des théories de désintégration sociale émanant de la droite ou sous l'emprise de quelque autre mythe. Lorsqu'on aura compris que le système repose sur les compagnies commerciales, ceux qui militent dans ce secteur découvriront qu'ils ont un soutien potentiel considérable au sein de la population.

Deux catégories de mouvements méritent une attention particulière. Les syndicats doivent jouer le rôle le plus important pour combattre le *statu quo* dans le domaine des communications et des médias, étant donné la position unique qu'ils occupent tant du point de vue des ressources que de celui de leur conception sociale. Après un long oubli, il devient clair pour certains militants des milieux ouvriers que la perte d'intérêt pour tout ce qui touche aux problèmes du travail est due en partie à l'assaut de la droite contre le syndicalisme et contre toute mesure gouvernementale progressiste et cela, avec l'efficace complicité des médias commerciaux. Au cours des années 1940, dans les quotidiens, environ un millier de reporters et d'éditorialistes se consacraient à temps plein à l'information sur le monde du travail. De nos jours, on en compte moins de 10[2]. Les syndicats doivent investir d'importantes ressources dans la lutte pour s'opposer au système de communications orienté vers le profit et pour soutenir le système public de diffusion. Ils doivent financer un journalisme et des médias non commerciaux, à la fois sains et indépendants. Ils doivent acquérir une connaissance suffisante du fonctionnement du journalisme dans les médias de masse pour améliorer la qualité et la quantité des articles qui leur sont consacrés. Bref,

---

2. *Voir par exemple* William J. Puette, *Through Jaundiced Eyes: How the Media View Organized Labor,* ILR Press, Ithaca, 1992.

les syndicats doivent apprendre de leurs ennemis et accorder à la lutte idéologique autant d'attention qu'à la lutte économique.

Tout particulièrement concernés, les syndicats de journalistes, des professionnels du divertissement et des communications sont sur la ligne de feu dans la lutte pour obtenir des médias démocratiques. Ils doivent prendre conscience que les campagnes traditionnelles pour protéger les emplois et les droits acquis peuvent s'avérer fructueuses dans l'immédiat, mais qu'elles n'ont aucune incidence sur la trajectoire de leurs industries résolument défavorables aux travailleurs. Au Canada et dans certains pays d'Europe, des syndicats confrontés à la même situation tentent de promouvoir une conception plus large des communications, dans laquelle ce sont les travailleurs plutôt que les investisseurs qui représentent l'opinion publique. Par exemple, les syndicats du secteur des communications s'allient aux consommateurs et à des groupes communautaires pour promouvoir un système de télécommunications sensible aux problèmes sociaux, situé hors du marché ou, à tout le moins, bien réglementé si ce système est privé. Il s'agit là d'un modèle de syndicalisme social progressiste qui peut ouvrir une voie permettant aux syndicats américains du secteur des communications d'échapper à l'actuelle dégringolade dans laquelle ils se trouvent; c'est aussi un modèle digne d'être imité par tous les syndicats.

La seconde catégorie de mouvements qui peut jouer un rôle important en faveur de médias démocratiques aux États-Unis, ce sont les fondations libérales et progressistes qui financent largement des causes telles que la justice sociale, les droits fondamentaux, le bien-être des êtres humains et les valeurs démocratiques. Pendant des années, ces fondations ont refusé de s'engager dans les mouvements de réforme des médias et de contribuer au financement des médias à but non lucratif et non commerciaux, car elles considéraient que ces derniers se situaient en dehors de la mission qu'elles s'étaient assignée. Parallèlement, les fondations conservatrices, qui ne versent pas un sou pour l'assistance sociale, consacrent la presque totalité de leurs ressources à la guerre idéologique contre le libéralisme, les travailleurs et la gauche, et leur travail auprès des médias est au centre de leur action. Les fondations libérales et progressistes s'aperçoivent maintenant que les problèmes sociaux dont elles s'occupent activement s'aggravent à cause de l'orientation que prend le marché et de la disparition de l'État-providence, disparition elle-même causée par le succès de campagnes idéologiques prônant la toute puissance du marché et financées par des fondations conservatrices. Elles gagneraient à reconnaître qu'elles sont dans l'impasse. Si la démocratie leur importe, elles doivent contribuer à établir une vaste et riche culture des médias, élément indispensable à la démocratie. Elles doivent financer généreusement le journalisme et les médias non commerciaux et à but non lucratif ainsi que des campagnes d'éducation populaire traitant de la propriété des médias, de leur contrôle et de leur réglementation. Si ces fondations n'acceptent pas de relever ce défi, elles n'auront d'autre fonction que celle de colmater les brèches dans un navire en perdition au lieu de veiller à ce que ces brèches ne se produisent pas.

Bien que le travail le plus important qui reste à faire soit à l'échelon local et national, il y a également une lutte à livrer à l'échelle mondiale. Il se pourrait bien que le système des géants des médias et des communications soit l'élément déterminant de la mondialisation de l'économie de marché. Cette hypothèse se confirme non seulement par l'importance grandissante du rôle économique, politique et culturel que jouent les médias commerciaux mondiaux, mais aussi par le fait que les technologies de communication établissent les fondements d'un marché mondial instantané des capitaux et des devises. La tendance principale du capitalisme mondial est de miner non seulement la souveraineté nationale, mais celle du peuple également lorsque des pays sont obligés d'obéir aux impératifs des marchés mondiaux sous peine de subir des sanctions économiques sévères et immédiates. Pour les partisans du marché, tels qu'ils sont représentés par le magazine *Forbes,* cette évolution est bienvenue. Cela signifie qu'il devient pour le moins douteux que la « politique », c'est-à-dire la volonté du peuple comme ensemble de citoyens, puisse s'opposer au contrôle que le milieu des affaires exerce sur la société[3]. C'est la victoire du principe que prône la célèbre maxime de John Jay : « Ceux qui possèdent le pays doivent le gouverner[4] ». Tout comme c'est le cas pour la démocratie, le débat politique n'a plus alors de pertinence.

Cette vision si sombre de notre avenir devrait nous amener à réfléchir. Si nous acceptons que s'accentue la division entre les classes sociales (et l'encourageons) en glorifiant le profit et la cupidité, cette vision laisse présager de sérieux dommages infligés à l'esprit humain et à notre capacité de vivre ensemble dans des communautés viables. Notre tâche est d'inverser cette tendance, de prendre la direction opposée, de créer un espace public et des médias démocratiques qui offrent une ouverture à la vitalité créatrice de la population et qui vivifient tout le champ politique et culturel. C'est un pas dans la direction d'un véritable gouvernement autonome où l'ensemble des citoyens exercent la souveraineté. C'est un pas essentiel dans l'édification d'une société équitable, compatissante et durable.

---

3. Peter Huber, « Cyberpower », *Forbes*, 2 décembre 1996, p. 142–147.

4. Citation tirée de Noam Chomsky, *Les dessous de la politique de l'Oncle Sam,* Éditions Écosociété/EPO/Le Temps des cerises, Montréal, 1996, p. 100.

Les Éditions Écosociété
De notre catalogue

Les dessous de la politique de l'Oncle Sam

NOAM CHOMSKY

Noam Chomsky nous introduit dans les coulisses du gouvernement américain, où se tramant chaque jour de véritables machinations destinées à asseoir l'impérialisme américain.

Partout en Amérique latine, les Américains s'affairent minutieusement à écraser toute velléité populaire de constituer des mouvements de travailleurs fondés sur la solidarité.

Au Vietnam, en dépit de ce que chacun croit, les États-Unis n'ont pas perdu la guerre : ils ont laissé un pays en ruine, divisé, qui ne pourra jamais plus s'imposer dans cette région de l'Asie.

Mais le gouvernement de Washington ne peut réussir à poursuivre cette politique étrangère qu'en dupant sa propre population. Il le fait avec la complicité des médias, par l'usage systématique d'un double langage.

ISBN 2-921561-28-X
136 pages
11,95 $

Le nouvel humanisme militaire
Leçons du Kosovo

NOAM CHOMSKY

Le 24 mars 1999, l'OTAN bombardait le Kosovo pour des motifs soi-disant humanitaires : mettre fin à l'épuration ethnique et au flot croissant de réfugiés. Quelles sont les véritables motivations de cette décision, présentée comme incontournable, alors qu'ailleurs, comme au Timor-Oriental et en Turquie, les mêmes atrocités sont perpétrées sous le regard approbateur des grandes puissances ? Cette première guerre menée par l'OTAN redéfinit les fondements mêmes du droit international alors que les « États éclairés » l'interprètent et l'appliquent selon leurs propres intérêts, sans aucune crainte de représailles.

ISBN 2-921561-52-2
336 pages
21,95 $

Entretiens avec Chomsky

DAVID BARSAMIAN

Noam Chomsky est né à Philadelphie en 1928. Théoricien du langage qui a transformé la linguistique, militant politique libertaire très actif, Noam Chomsky est un des intellectuels les plus renommés de ce siècle ; il est d'ailleurs l'auteur vivant le plus souvent cité dans le monde.

David Barsamian, journaliste de renom, a eu plusieurs fois l'occasion d'interviewer Noam Chomsky au fil des ans. Ainsi les sujets couverts sont multiples.

Les entretiens publiés dans ce livre nous permettent de découvrir Noam Chomsky dans l'intimité : un homme chaleureux, généreux, respectueux de tous, mais qui n'hésite jamais à rechercher partout la vérité et à la dire.

D'un intérêt particulier, le point de vue de Chomsky sur le génocide au Timor-Oriental et le rôle des États occidentaux dans cette affaire sans fin, spécialement celui de l'Australie.

ISBN 2-921561-27-1
176 pages
16,95 $

L'an 501
La conquête continue

NOAM CHOMSKY

Ce livre jette un regard clairvoyant sur les 500 ans de la conquête européenne du monde, depuis l'arrivée de Colomb en Amérique le 12 octobre 1492. Alors que les États-Unis ont pris le relais de l'hégémonie mondiale depuis plus de 50 ans, force nous est de constater que la conquête continue.

Chomsky offre au lecteur une analyse rigoureuse et incisive de la conjoncture actuelle. Il démontre combien les principes et les idéaux mis de l'avant par les chefs d'État ont peu à voir avec la réalité de leur politique étrangère de domination et d'exploitation. Il dénonce aussi la pratique constante de la désinformation qui empêche toute démocratie véritable.

ISBN 2-921561-19-0
363 pages
29,95 $

Nos diffuseurs

en Amérique : *Dimédia inc.*
539, boul. Lebeau
Saint-Laurent (Québec)
H4N 1S2

en France : *Diffusion de l'édition québécoise*
30, rue Gay-Lussac
F-75005 Paris

en Belgique : *Éditions Aden*
165, rue de Mérode
B-1060 Bruxelles

Faites circuler nos livres.

Discutez-en avec d'autres personnes.

Inscrivez-vous à notre Club du livre.

Si vous avez des commentaires, faites-les-nous parvenir ; il nous fera plaisir de les communiquer aux auteurs et à notre comité de rédaction.

Les Éditions Écosociété
C.P. 32052, comptoir Saint-André
Montréal (Québec)
H2L 4Y5

Courriel : ecosoc@cam.org
Toile : www.ecosociete.org